1학년이 꼭 알아야 할 수와 연산!

1학년이 꼭 알아야 할
수와 연산

이 책의 구성과 특징

1

1학년부터 6학년까지 각 학년별로 나오는 수와 연산 부분을 강화하여 학교 수업에 자신감을 쌓을 수 있도록 하였습니다.

2

수학의 기초인 수와 연산을 이해하여 빠르고 정확한 계산 능력을 얻을 수 있도록 하였습니다.

3

선행 학습을 원하는 학생 누구나 쉽게 공부할 수 있도록 하였습니다.

4

학기 중 또는 방학 중 단기간에 계산력을 완성할 수 있도록 하였습니다.

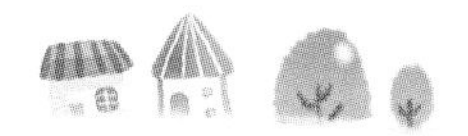

수가 늘어날 때나 개수의 합을 구할 때는 덧셈으로 계산합니다.

핵심 1 받아올림이 없는 한 자리 수의 덧셈

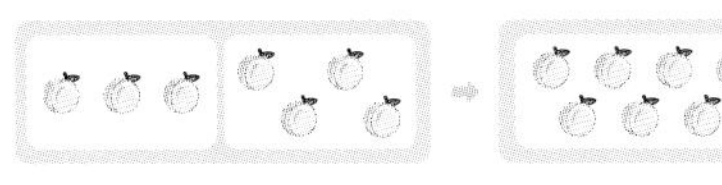

쓰기 : 3+4=7
읽기 : 3 더하기 4는 7과 같습니다.

핵심 2 10이 되는 더하기

합이 10이 되는 더하기

핵심 정리

단원에서 꼭 알아야할 기본적인 개념과 원리를 요약 정리하였습니다.

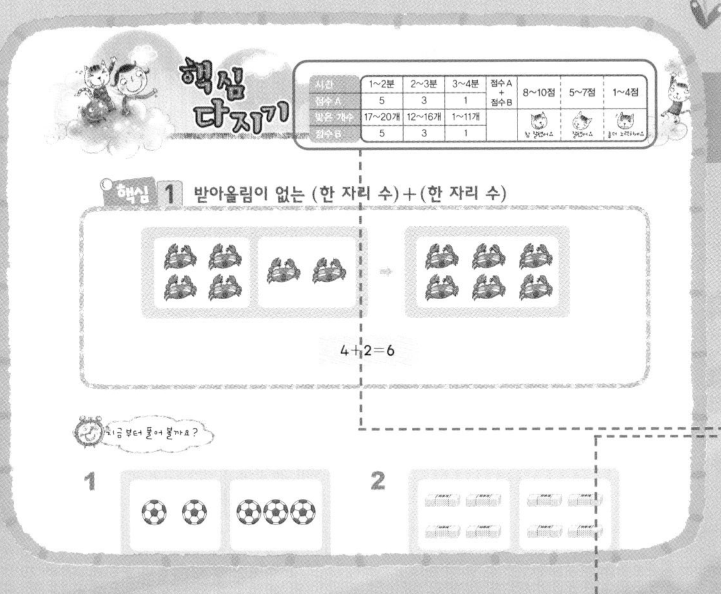

시간	1~2분	2~3분	3~4분	점수 A + 점수 B	8~10점	5~7점	1~4점
점수 A	5	3	1				
맞은 개수	17~20개	12~16개	1~11개		참 잘했어요	잘했어요	좀더 노력하세요
점수 B	5	3	1				

핵심 1 받아올림이 없는 (한 자리 수)+(한 자리 수)

4+2=6

1

2

핵심 다지기

핵심 내용을 주제별로 세분화하여 정리한 후 유형 문제를 반복 연습하는 문제들로 구성하였습니다.

점수 체크표

문제 푸는 시간과 맞은 개수를 점수화하여 학습의 효과를 높이도록 하였습니다.

단원 마무리 평가

시간	1~3분	3~4분	4~5분	5~6분	6~7분	점수 A + 점수 B	9~10점	7~8점	1~6점
점수 A	5	4	3	2	1				
맞은 개수	18~20개	15~17개	12~14개	9~11개	1~8개		참 잘했어요	잘했어요	좀더 노력하세요
점수 B	5	4	3	2	1				

덧셈을 하시오. (1~20)

1 3+4=

2 4+6=

6 $\begin{array}{r} 35 \\ +\ 4 \\ \hline \end{array}$

7 32+7=□ ➡ $\begin{array}{r} 32 \\ +\ 7 \\ \hline \square \end{array}$

단원 마무리 평가

단원을 마무리하면서 익힌 내용을 평가하여 자신의 실력을 알아볼 수 있도록 구성하였습니다.

Contents
차례
1 학년

100까지의 수

핵심 1 9까지의 수의 순서

하나, 둘, 셋, …은 수를 나타내고, 첫째, 둘째, 셋째, …는 순서를 나타내는 말입니다.

핵심 2 100까지의 수의 순서

1	2	3	4	5	6	7	8	9	10
11	12	13	14	15	16	17	18	19	20
21	22	23	24	25	26	27	28	29	30
31	32	33	34	35	36	37	38	39	40
41	42	43	44	45	46	47	48	49	50
51	52	53	54	55	56	57	58	59	60
61	62	63	64	65	66	67	68	69	70
71	72	73	74	75	76	77	78	79	80
81	82	83	84	85	86	87	88	89	90
91	92	93	94	95	96	97	98	99	100

핵심 3 1 큰 수와 1 작은 수

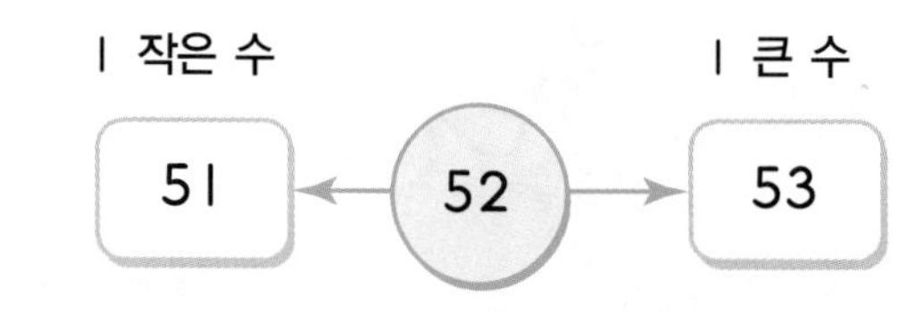

52보다 1 큰 수는 바로 뒤의 수인 53이고, 1 작은 수는 바로 앞의 수인 51입니다.

수를 순서대로 쓰면 1 큰 수와 1 작은 수를 찾을 수 있습니다.

핵심 다지기

시간	1~2분	2~3분	3~4분	점수A + 점수B	8~10점	5~7점	1~4점
점수 A	5	3	1				
맞은 개수	8~9개	5~7개	1~4개		참 잘했어요	잘했어요	좀더 노력하세요
점수 B	5	3	1				

핵심 1 9까지의 수의 순서 알아보기

❋ 9까지의 수의 순서

첫째 둘째 셋째 넷째 다섯째 여섯째 일곱째 여덟째 아홉째

❋ 수와 수의 순서

넷	★★★★☆☆☆☆☆
넷째	☆☆☆★☆☆☆☆☆

넷은 수를 나타내고, 넷째는 순서를 나타냅니다.

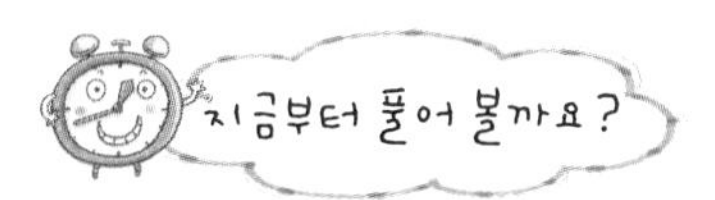

❋ □ 안에 알맞은 말을 써넣으시오. (1~2)

1

□ 둘째 □ 넷째 □ 여섯째 일곱째 □ 아홉째

2

첫째 둘째 셋째 □ 다섯째 □ 일곱째 □ □

알맞게 색칠하시오. (3~9)

3

다섯	♤ ♤ ♤ ♤ ♤ ♤ ♤ ♤ ♤
다섯째	♤ ♤ ♤ ♤ ♤ ♤ ♤ ♤ ♤

4

여섯	♧ ♧ ♧ ♧ ♧ ♧ ♧ ♧ ♧
여섯째	♧ ♧ ♧ ♧ ♧ ♧ ♧ ♧ ♧

5

아홉	☆ ☆ ☆ ☆ ☆ ☆ ☆ ☆ ☆
아홉째	☆ ☆ ☆ ☆ ☆ ☆ ☆ ☆ ☆

6

둘	◇ ◇ ◇ ◇ ◇ ◇ ◇ ◇ ◇
둘째	◇ ◇ ◇ ◇ ◇ ◇ ◇ ◇ ◇

7

일곱	☾ ☾ ☾ ☾ ☾ ☾ ☾ ☾ ☾
일곱째	☾ ☾ ☾ ☾ ☾ ☾ ☾ ☾ ☾

8

셋	△ △ △ △ △ △ △ △ △
셋째	△ △ △ △ △ △ △ △ △

9

여덟	✚ ✚ ✚ ✚ ✚ ✚ ✚ ✚ ✚
여덟째	✚ ✚ ✚ ✚ ✚ ✚ ✚ ✚ ✚

시간	1~2분	2~3분	3~4분	점수A + 점수B	8~10점	5~7점	1~4점
점수 A	5	3	1				
맞은 개수	9~11개	7~8개	1~6개		참 잘했어요	잘했어요	좀더 노력하세요
점수 B	5	3	1				

핵심 2 100까지의 수의 순서 알아보기

1	2	3	4	5	6	7	8	9	10
11	12	13	14	15	16	17	18	19	20
21	22	23	24	25	26	27	28	29	30
31	32	33	34	35	36	37	38	39	40
41	42	43	44	45	46	47	48	49	50
51	52	53	54	55	56	57	58	59	60
61	62	63	64	65	66	67	68	69	70
71	72	73	74	75	76	77	78	79	80
81	82	83	84	85	86	87	88	89	90
91	92	93	94	95	96	97	98	99	100

99 다음의 수를 100이라 하고, 백이라고 읽습니다.

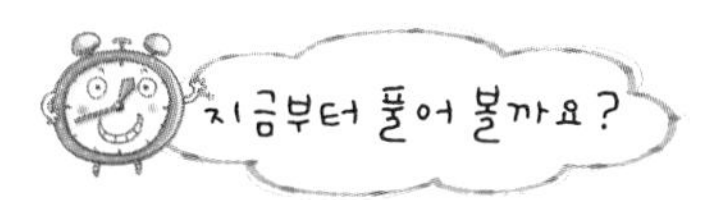

1

2

3

4

5

6

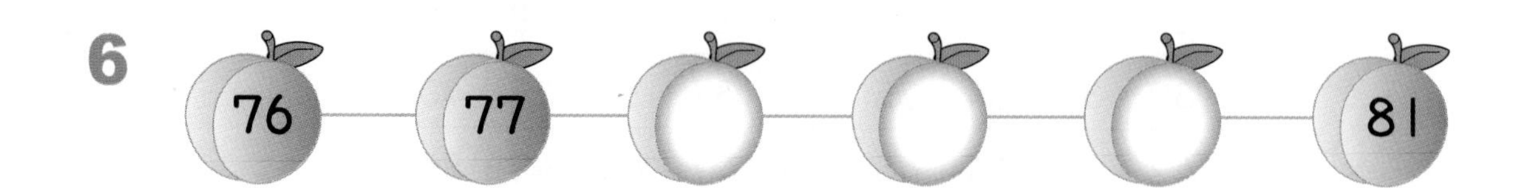

7

8

9

10

11

97 99

시간	1~2분	2~3분	3~4분	점수 A + 점수 B	8~10점	5~7점	1~4점
점수 A	5	3	1				
맞은 개수	11~13개	9~10개	1~8개		참 잘했어요	잘했어요	좀더 노력하세요
점수 B	5	3	1				

핵심 3 | 1 큰 수와 1 작은 수 알아보기

- 45보다 1 큰 수 ➡ (43, 44, 45, 46, 47)
  ➡ 45보다 1 큰 수는 바로 뒤의 수인 46입니다.
- 45보다 1 작은 수 ➡ (43, 44, 45, 46, 47)
  ➡ 45보다 1 작은 수는 바로 앞의 수인 44입니다.

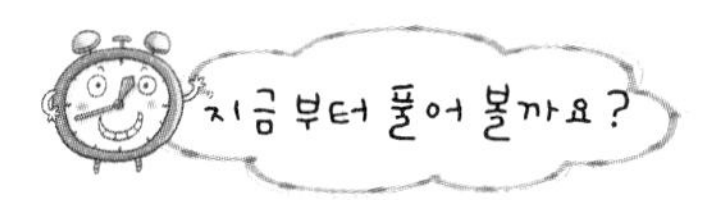

주어진 수보다 1 큰 수를 찾아 ○표 하시오. (1~7)

1 14 (24, 10, 11, 17, 15)

2 21 (22, 23, 33, 41, 27)

3 47 (34, 46, 48, 51, 60)

4 35 (31, 36, 39, 50, 56)

5 66 (75, 66, 67, 54, 46)

6 

(53, 47, 77, 61, 74)

7 

(59, 64, 85, 90, 99)

주어진 수보다 1 작은 수를 찾아 △표 하시오. (8~13)

8 

(9, 10, 12, 21, 30)

9 

(33, 35, 44, 49, 52)

10 

(14, 42, 44, 77, 85)

11 

(49, 25, 80, 77, 78)

12 

(43, 85, 44, 87, 66)

13 

(50, 67, 99, 98, 90)

단원 마무리 평가

시간	1~2분	2~3분	3~4분	4~5분	5~6분	점수A + 점수B	9~10점	7~8점	1~6점
점수 A	5	4	3	2	1				
맞은 개수	18~20개	15~17개	12~14개	9~11개	1~8개		참 잘했어요	잘했어요	좀더 노력하세요
점수 B	5	4	3	2	1				

□ 안에 알맞은 말을 써넣으시오. (1~3)

1

첫째 □ 셋째 넷째 □

2

□ 둘째 □ 넷째 □

3

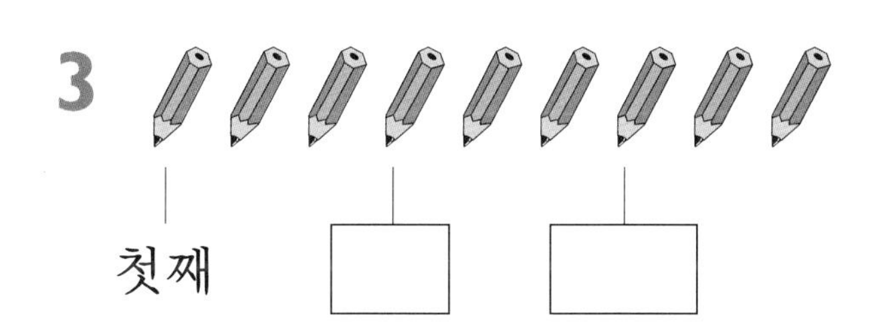

첫째 □ □

알맞게 색칠하시오. (4~7)

4

둘	♡♡♡♡♡♡♡♡♡
둘째	♡♡♡♡♡♡♡♡♡

5

넷	☆☆☆☆☆☆☆☆☆
넷째	☆☆☆☆☆☆☆☆☆

6

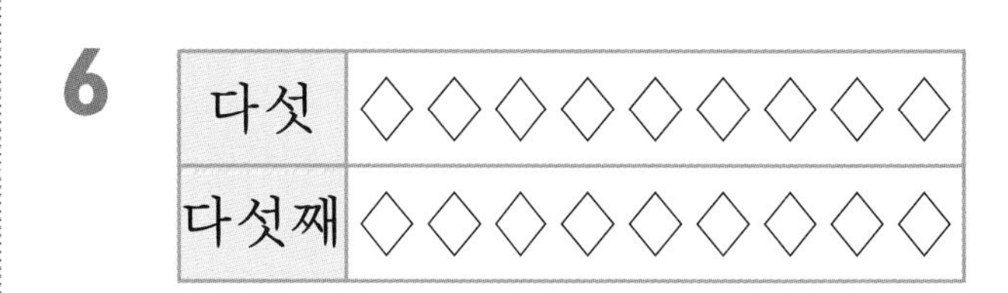

다섯	◇◇◇◇◇◇◇◇◇
다섯째	◇◇◇◇◇◇◇◇◇

7

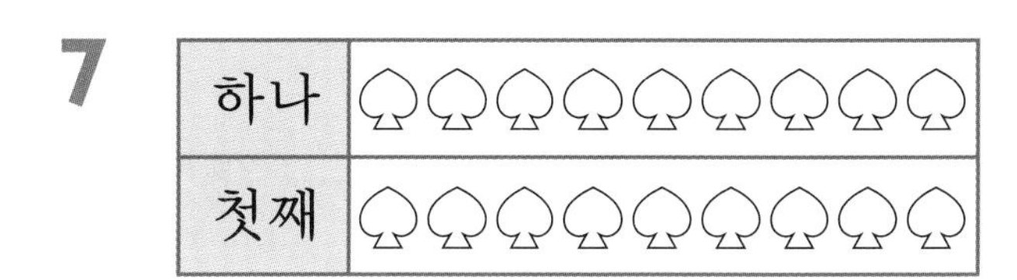

하나	♤♤♤♤♤♤♤♤♤
첫째	♤♤♤♤♤♤♤♤♤

수를 순서대로 쓰시오. (8~13)

8

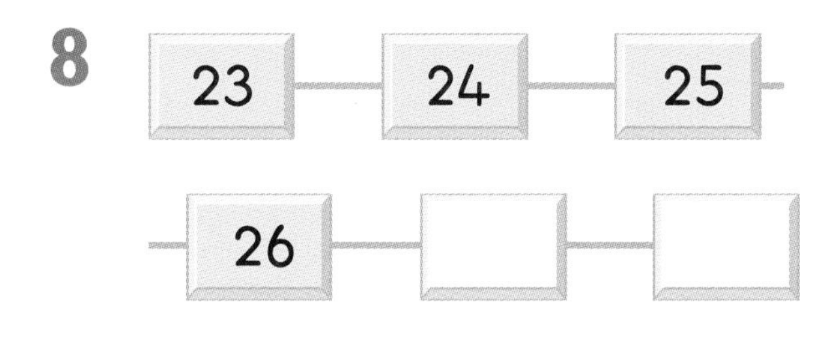

23 — 24 — 25 — 26 — □ — □

9

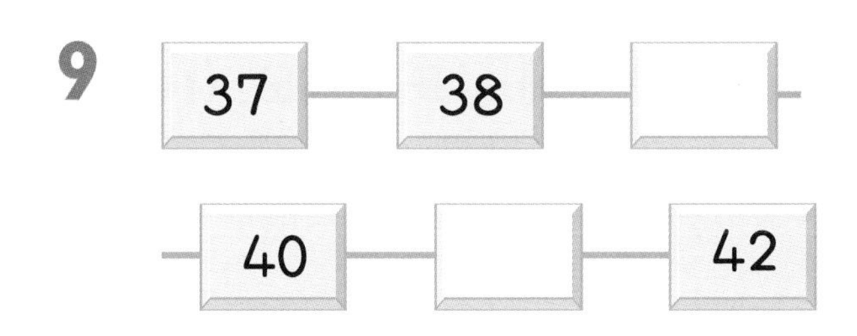

37 — 38 — □ — 40 — □ — 42

10

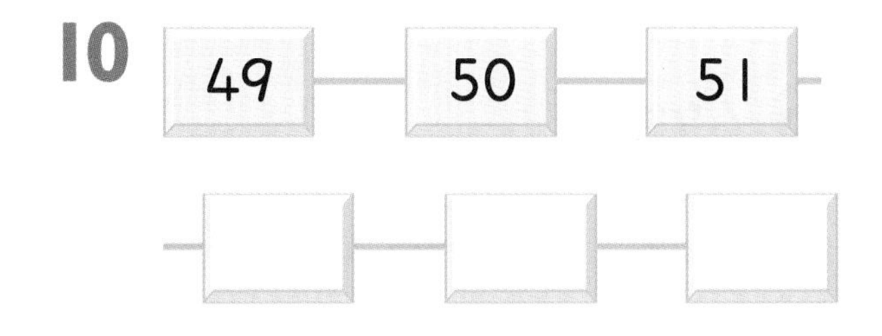

49 — 50 — 51 — □ — □ — □

단원 마무리 평가

11

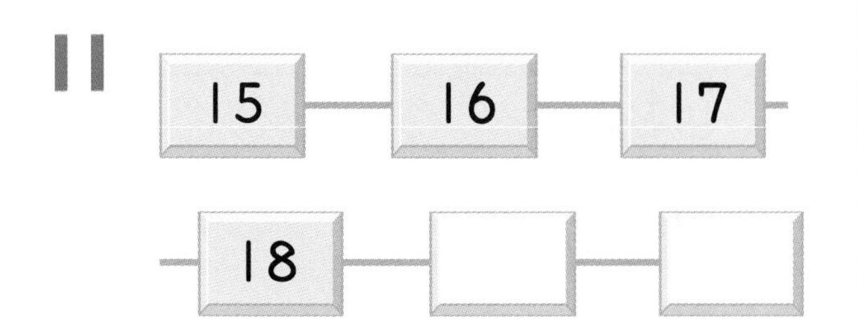

12

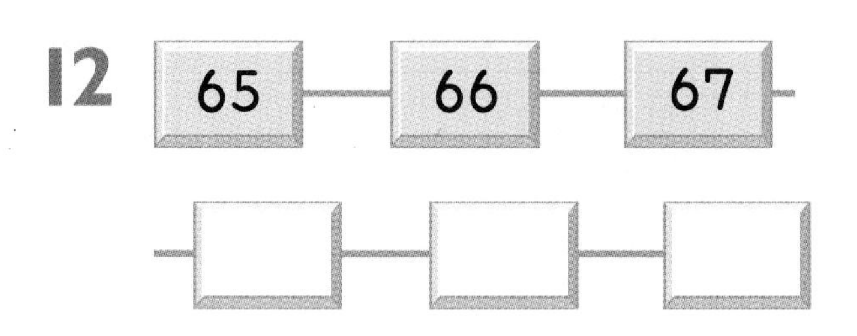

13

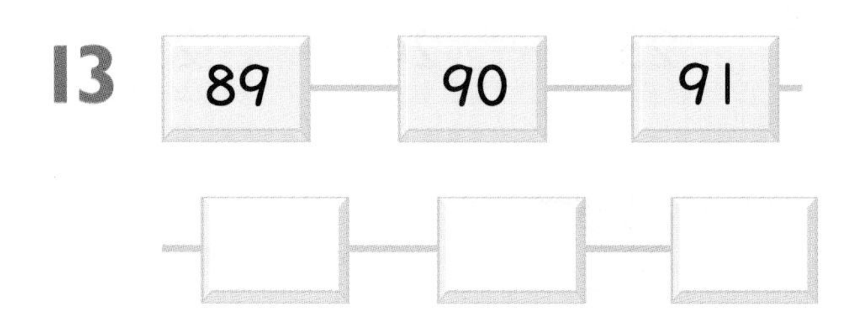

■ 큰 수에 ○표 하시오. (14~17)

14 50

(51, 64, 53, 77, 80)

15 73

(53, 47, 77, 61, 74)

16 46

(33, 45, 47, 74, 17)

17 98

(99, 60, 100, 95, 97)

■ 작은 수에 △표 하시오. (18~20)

18 51

(50, 53, 61, 78, 41)

19 85

(48, 84, 73, 86, 95)

20 60

(79, 50, 61, 49, 59)

2
가르기
쌔앵~

핵심 1 두 수로 가르기

3	1	2
	2	1

수 3은 1과 2, 2와 1로 가를 수 있습니다.

7	1	2	3	4	5	6
	6	5	4	3	2	1

수 7은 1과 6, 2와 5, 3과 4, 4와 3, 5와 2, 6과 1로 가를 수 있습니다.

핵심 2 10을 두 수로 가르기

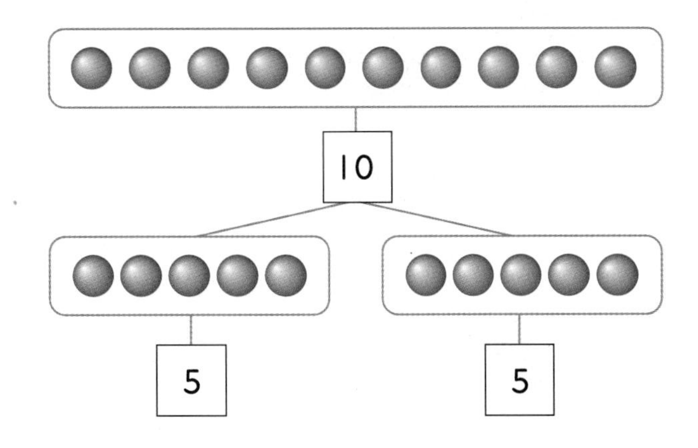

10	0	1	2	3	4	5	6	7	8	9	10
	10	9	8	7	6	5	4	3	2	1	0

수 10은 0과 10, 1과 9, 2와 8, 3과 7, 4와 6, 5와 5, 6과 4, 7과 3, 8과 2, 9와 1, 10과 0으로 가를 수 있습니다.

구슬, 바둑돌 등을 사용하여 가르기를 해 봅니다.

구슬 10개를 사용하여 두 묶음으로 나눠 보면서 가르기를 익혀 보세요.

핵심 다지기

시간	1분	1~2분	2~3분	점수A + 점수B	8~10점	5~7점	1~4점
점수 A	5	3	1				
맞은 개수	14~16개	10~13개	1~9개		참 잘했어요	잘했어요	좀더 노력하세요
점수 B	5	3	1				

핵심 1-1 두 수로 가르기 (1)

❋ 수 2를 가르기

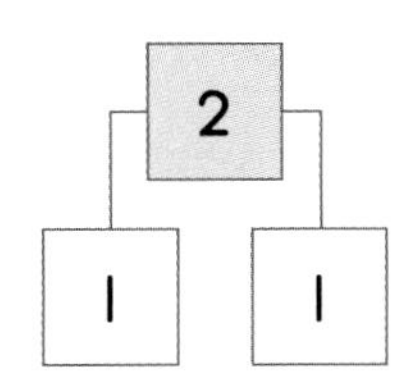

❋ 수 4를 가르기

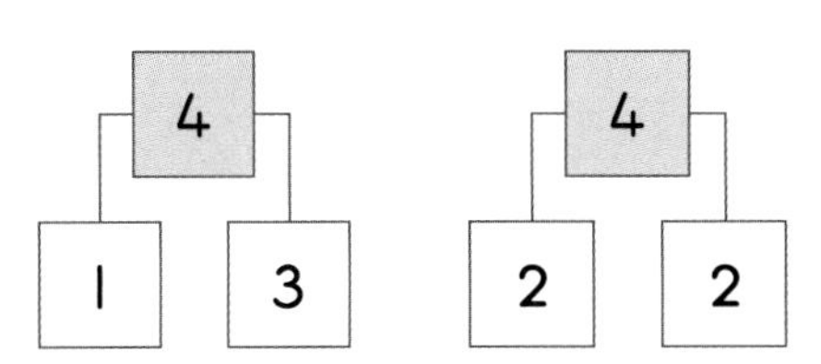

❋ 수 3을 가르기

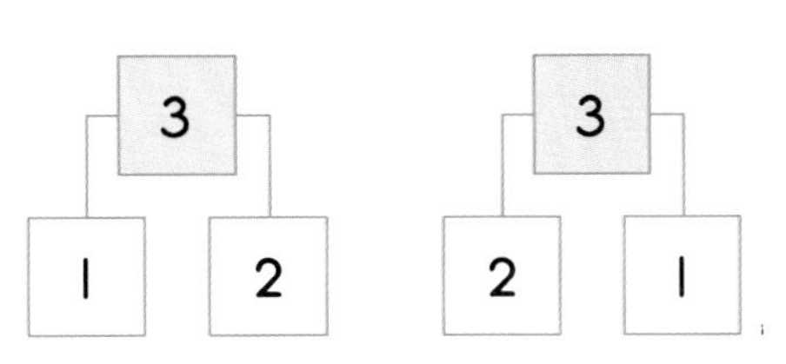

❋ 수 5를 가르기

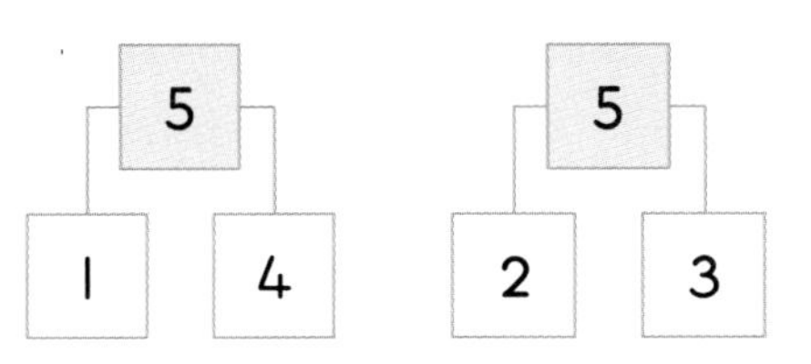

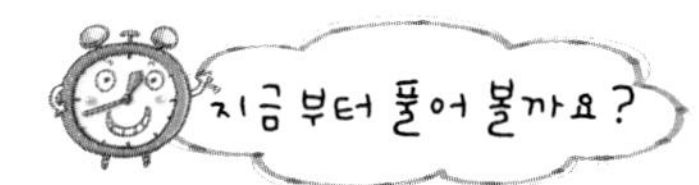

1

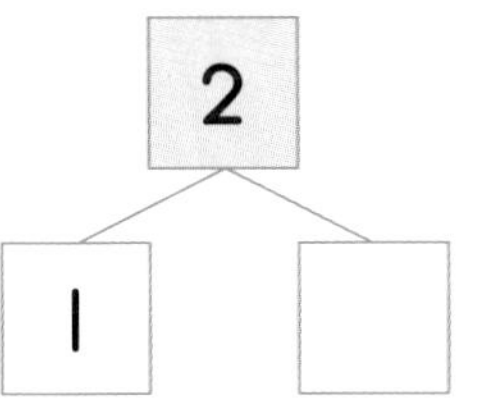

2

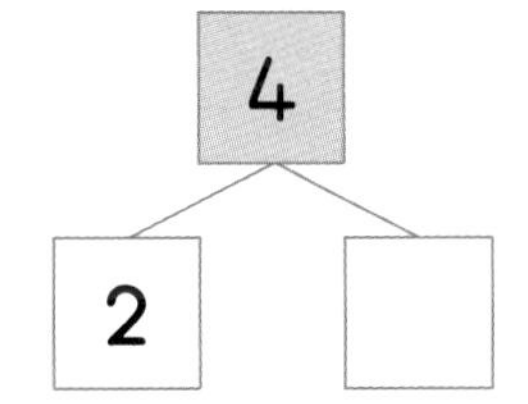

3

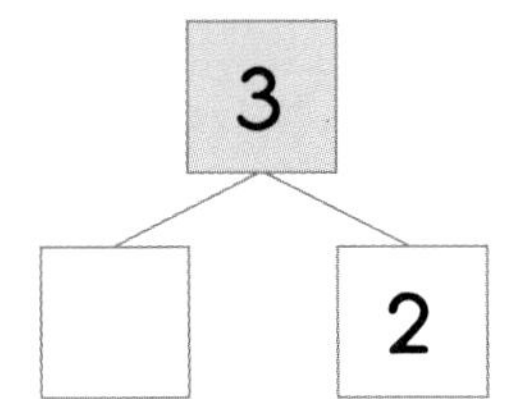

4

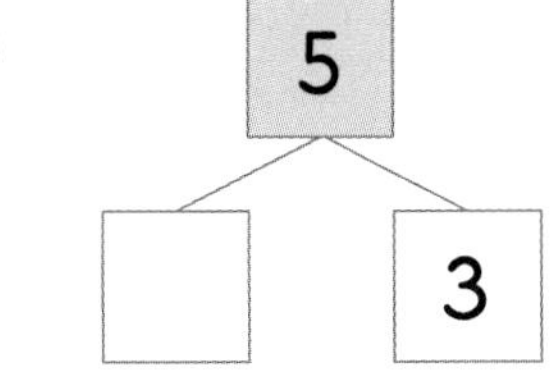

5

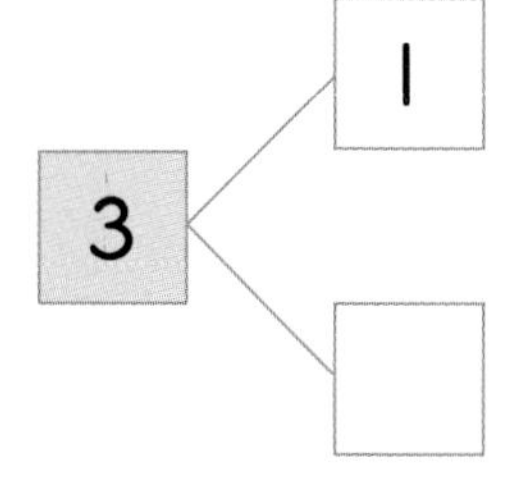

6

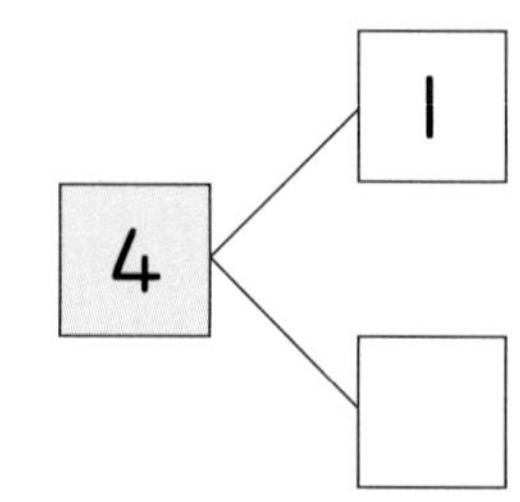

7

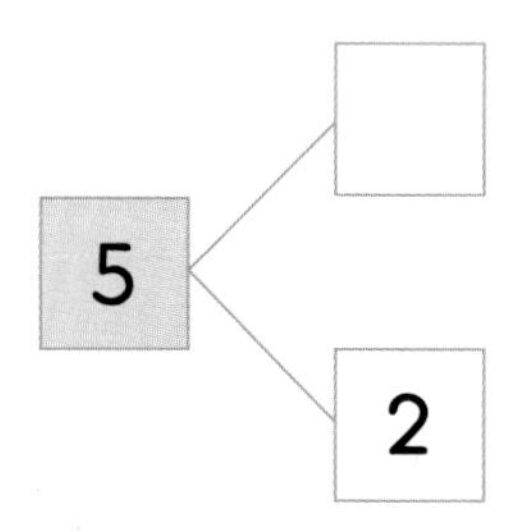

8

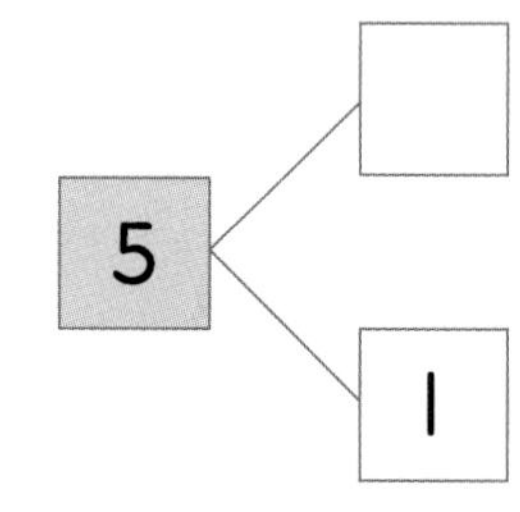

9

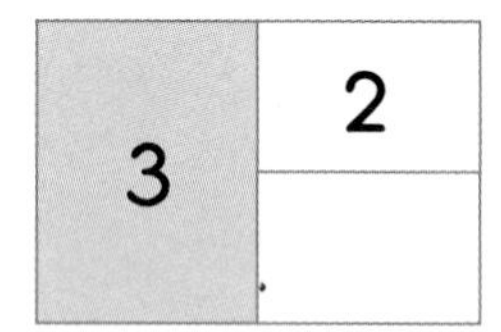

10

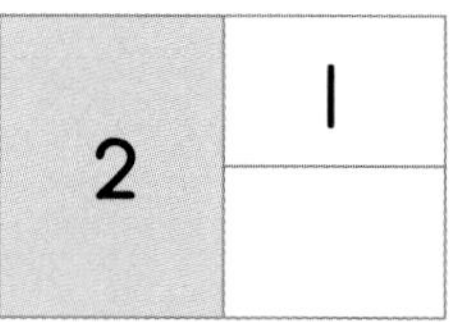

11

5	3

12

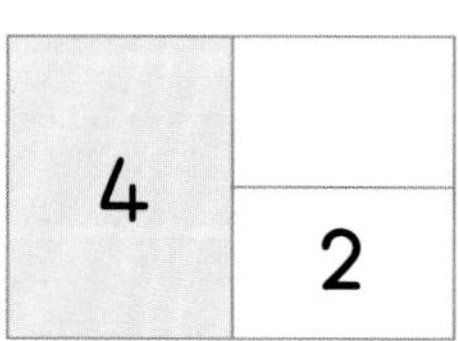

13

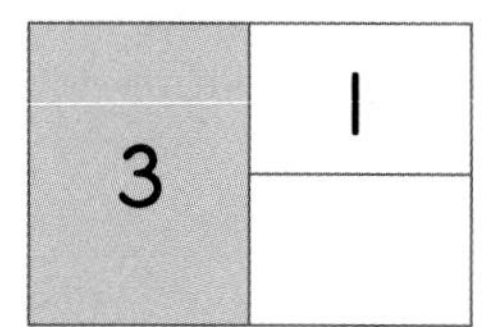

14

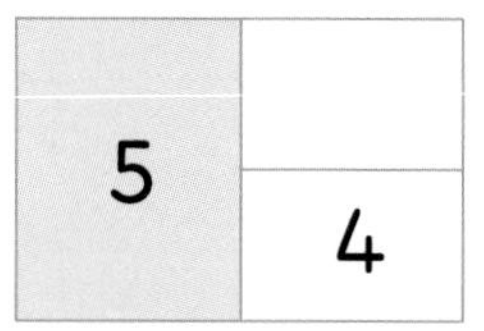

15

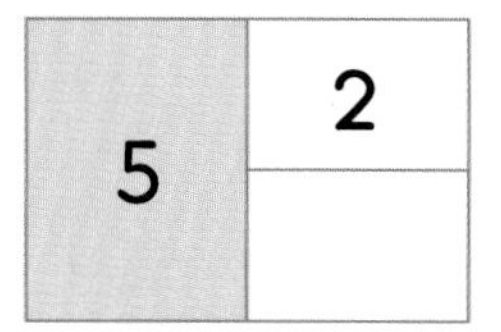

16

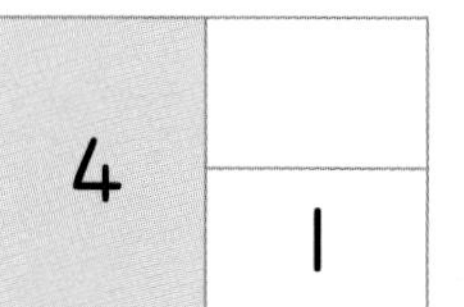

핵심 1-2 두 수로 가르기 (2)

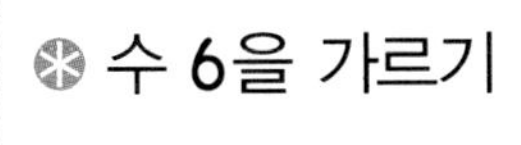

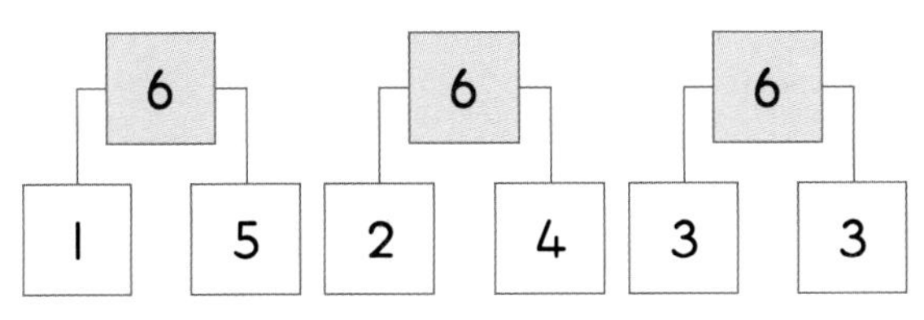

수 8을 가르기

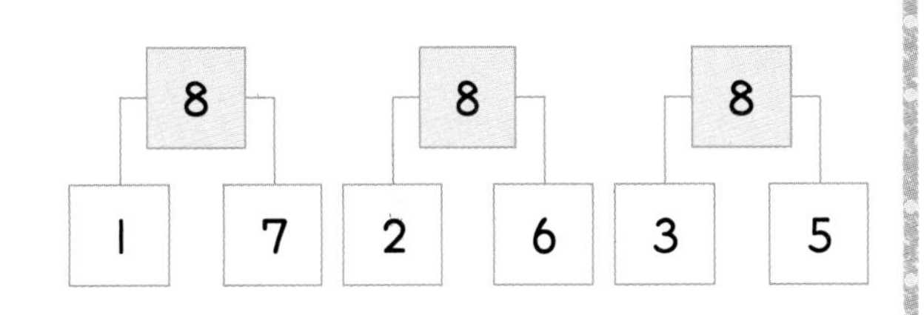

수 7을 가르기

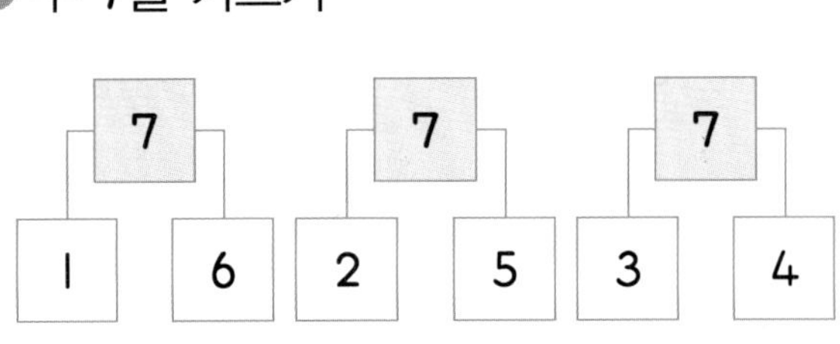

수 9를 가르기

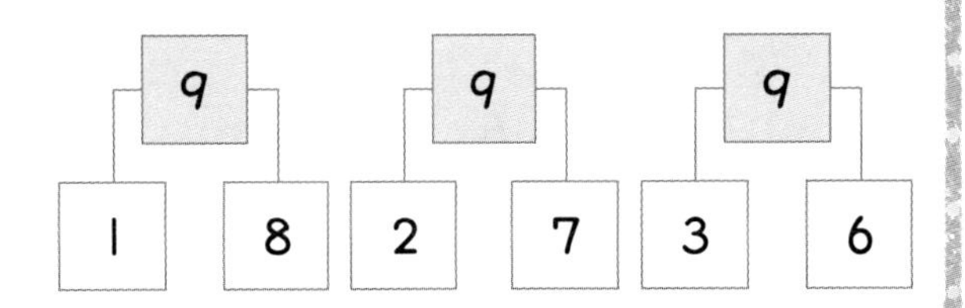

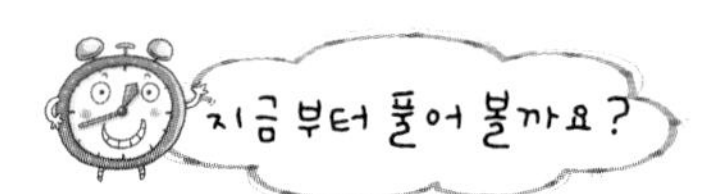

1

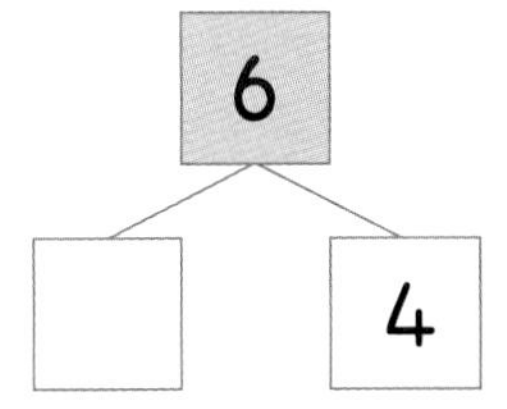

2

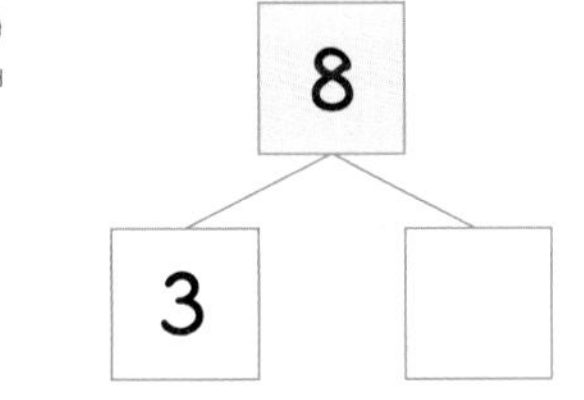

3

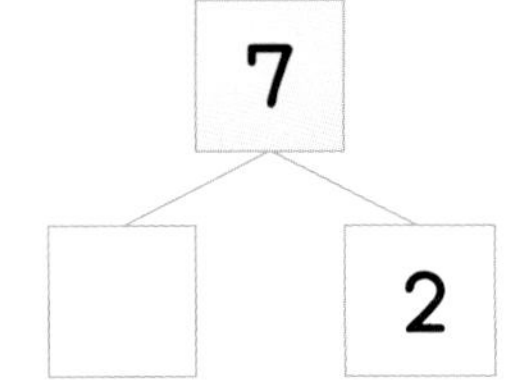

4

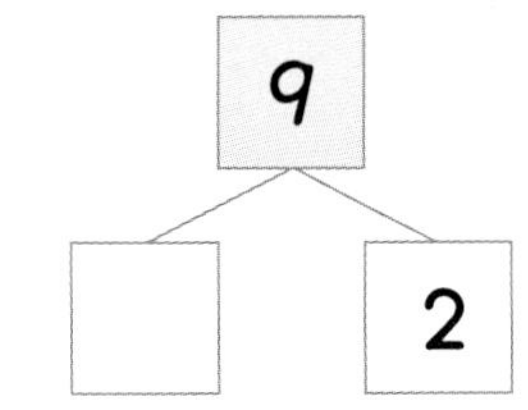

5

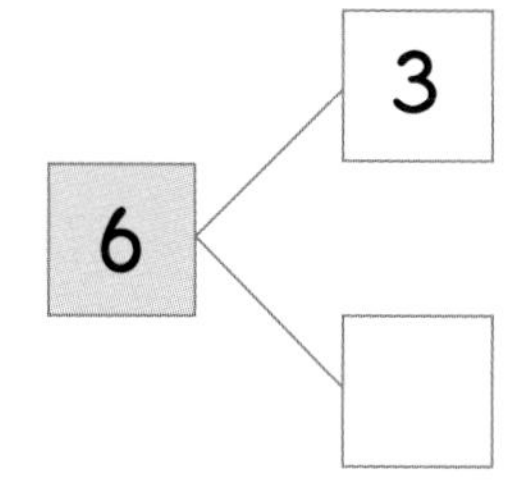

6

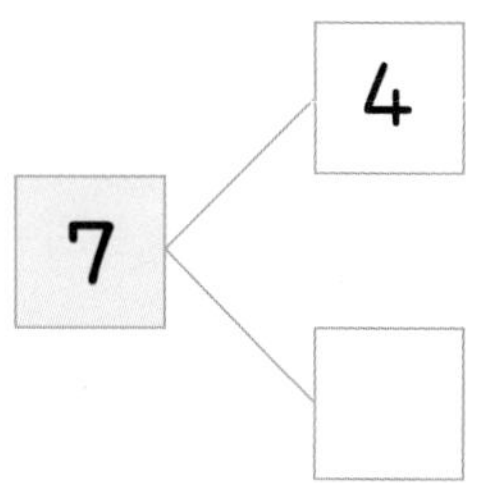

7

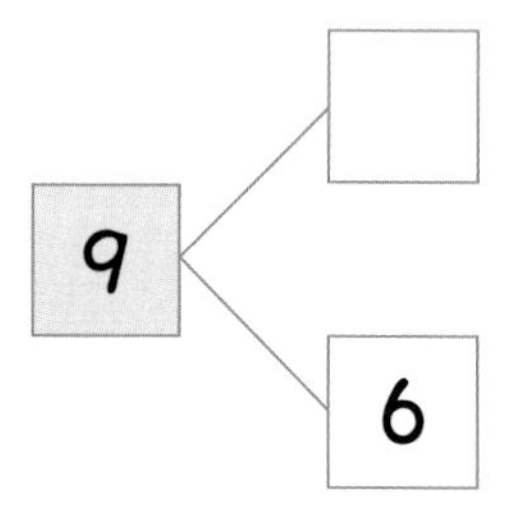

8

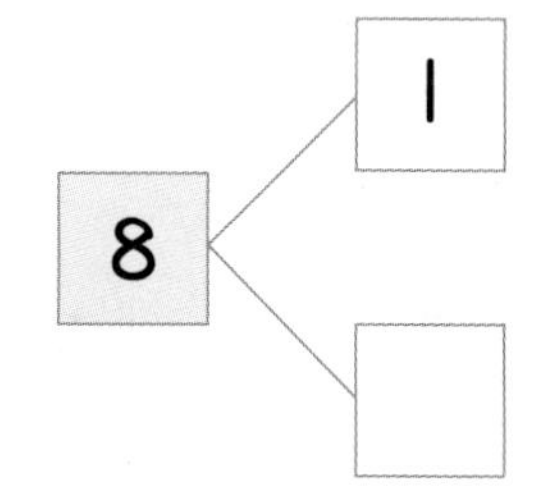

9

6	4

10

7	
	5

11

9	4

12

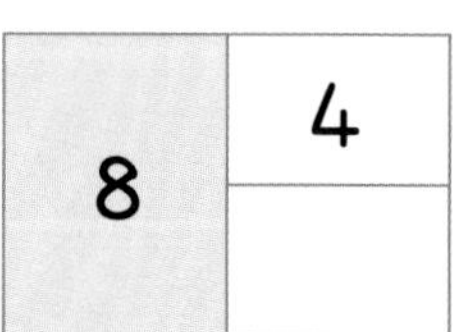

13

7	3

14

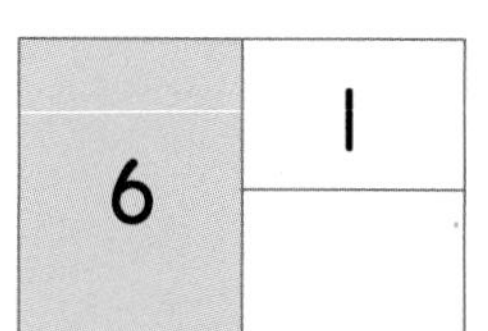

15

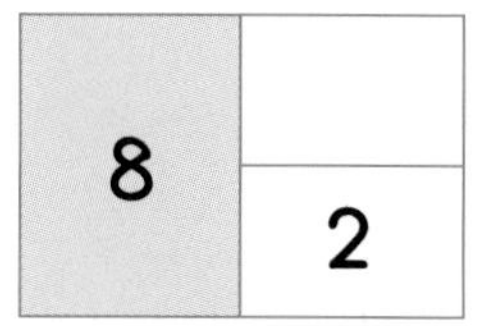

16

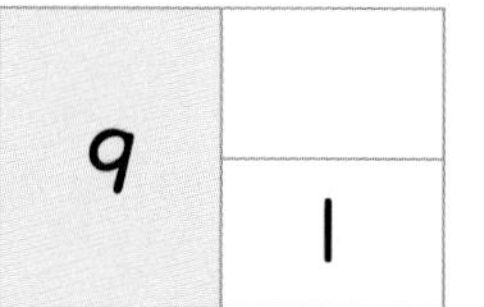

시간	1분	1~2분	2~3분	점수A + 점수B	8~10점	5~7점	1~4점
점수A	5	3	1				
맞은 개수	14~16개	10~13개	1~9개		참 잘했어요	잘했어요	좀더 노력하세요
점수B	5	3	1				

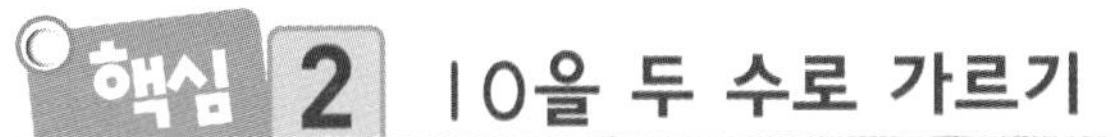

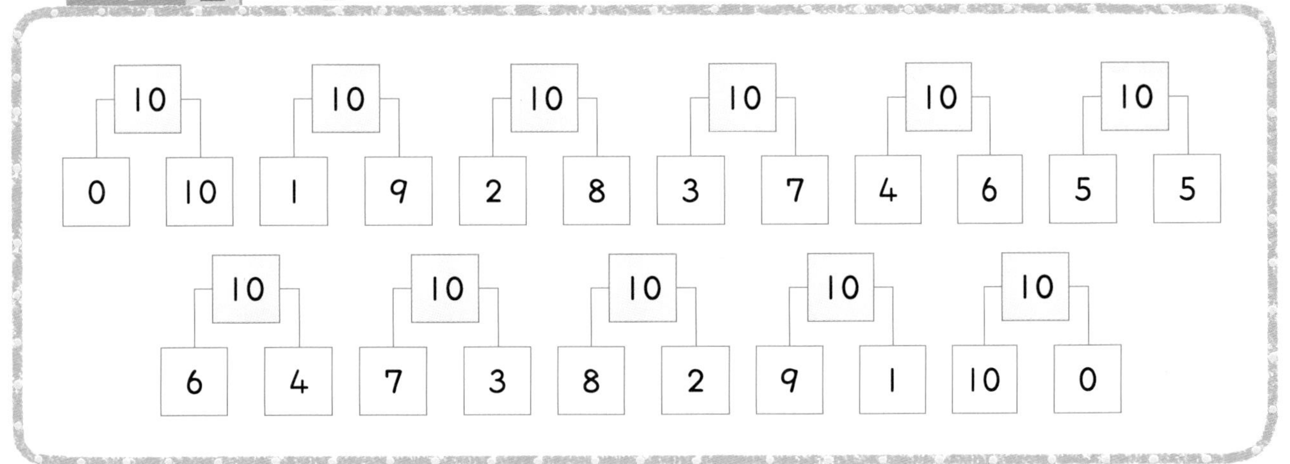

지금부터 풀어 볼까요?

1

10

7 □

2

10

□ 8

3

10

9 □

4

10

□ 6

5

10

1 □

6

10

5 □

7

10	
	3

8

10	10

9

10	
	2

10

10	
	4

11

10	0

12

10	9

13

10	3

14

10	5

15

10	1

16

10	2

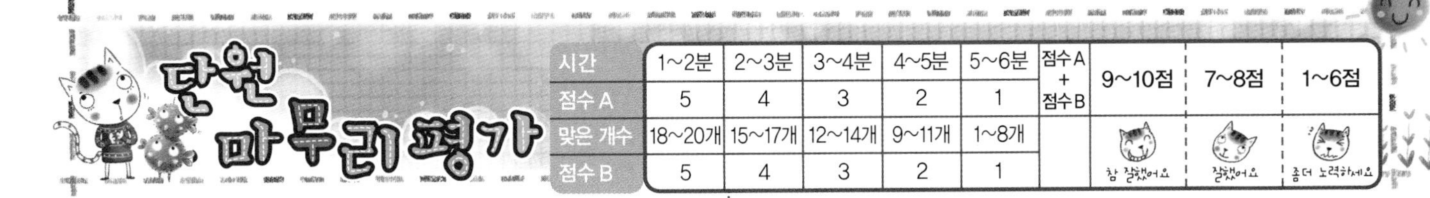

단원 마무리 평가

시간	1~2분	2~3분	3~4분	4~5분	5~6분	점수A + 점수B	9~10점	7~8점	1~6점
점수 A	5	4	3	2	1				
맞은 개수	18~20개	15~17개	12~14개	9~11개	1~8개		참 잘했어요	잘했어요	좀더 노력하세요
점수 B	5	4	3	2	1				

수를 가르시오. (1~20)

1

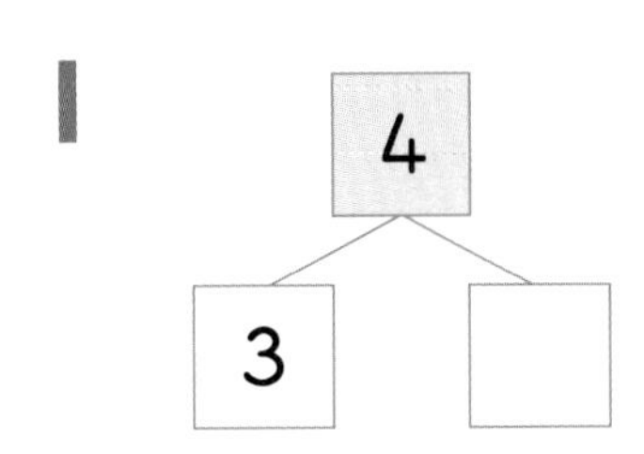

2

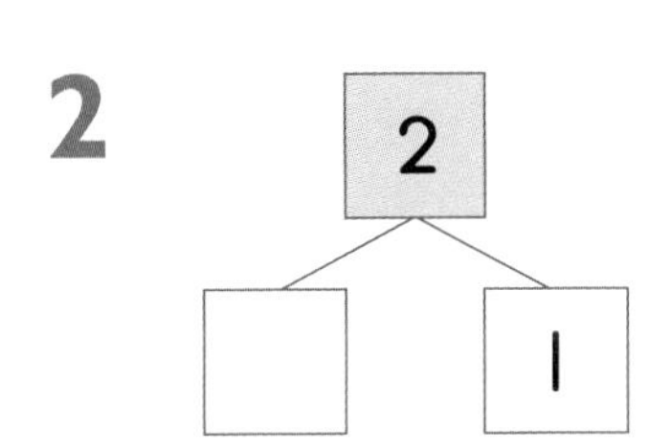

3

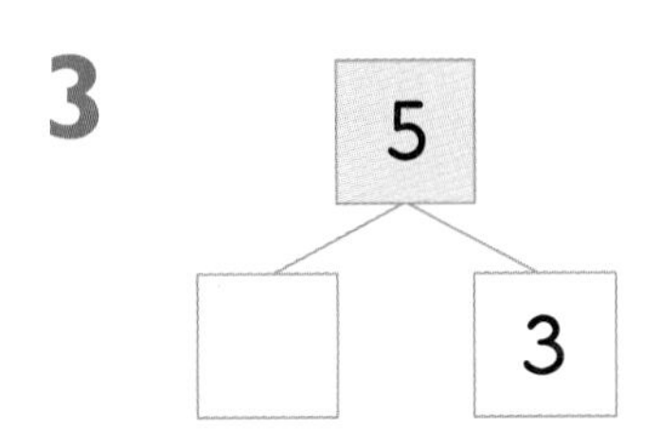

4

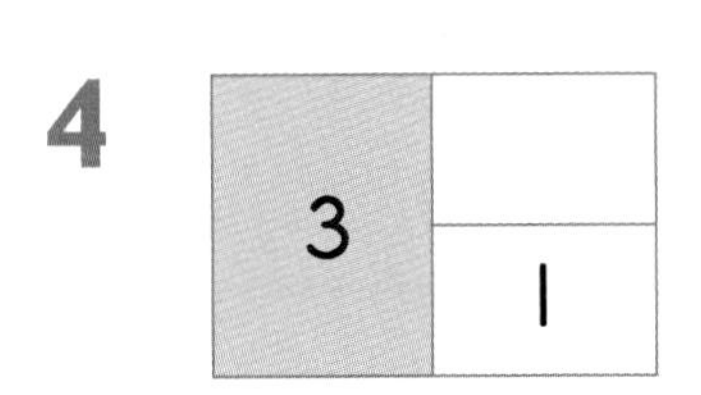

5

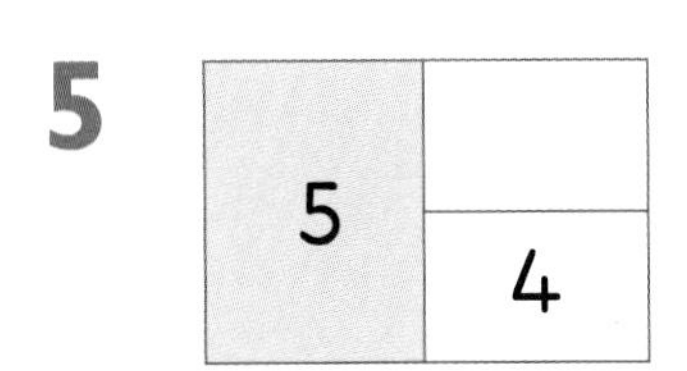

6

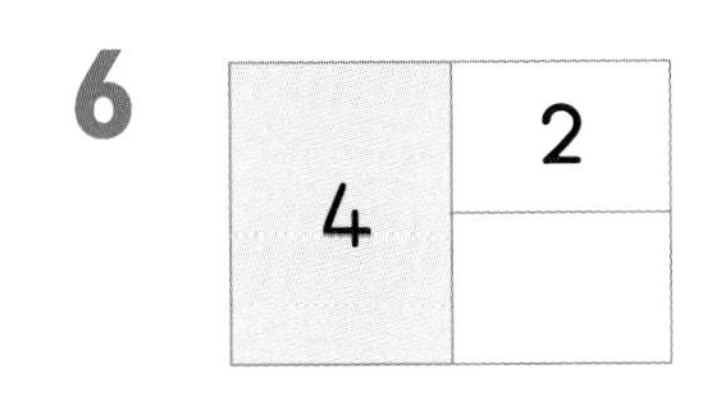

7

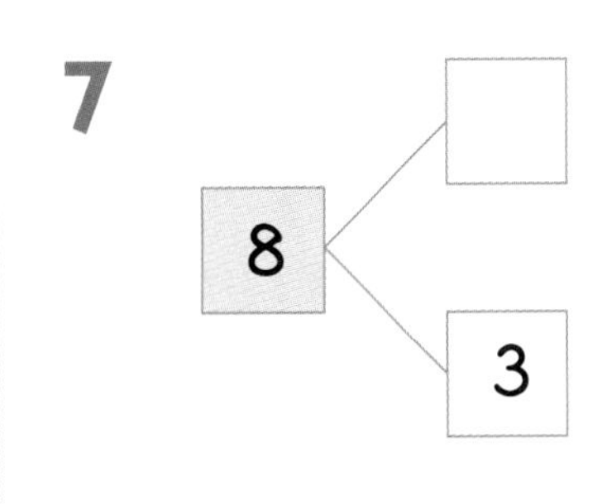

8

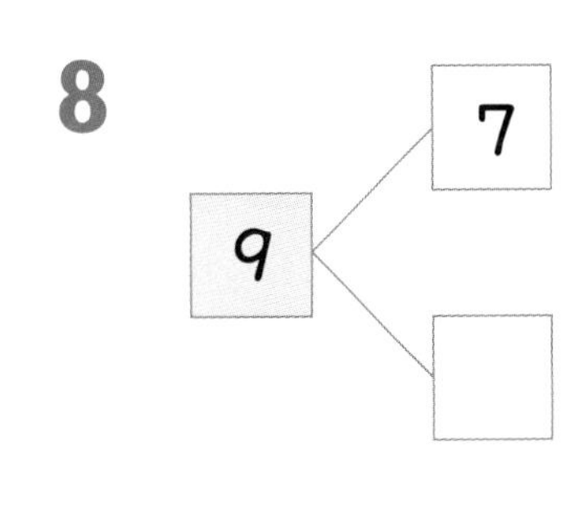

9

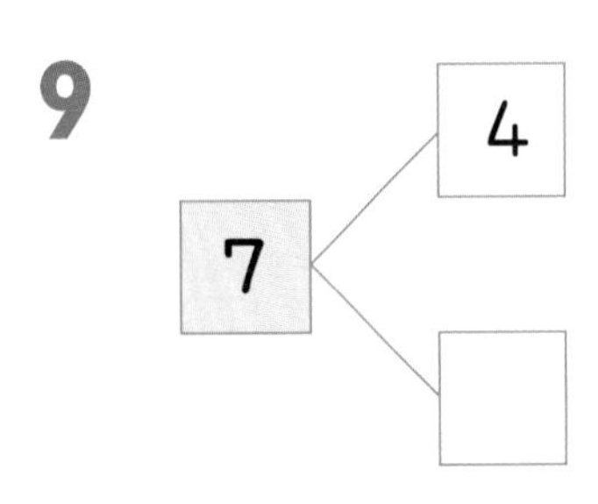

10

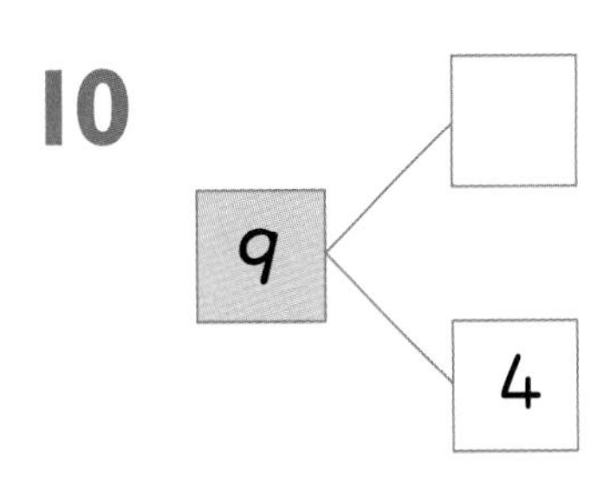

11

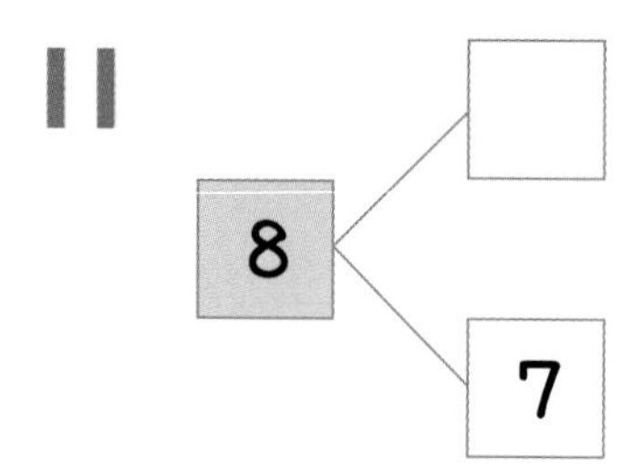

12

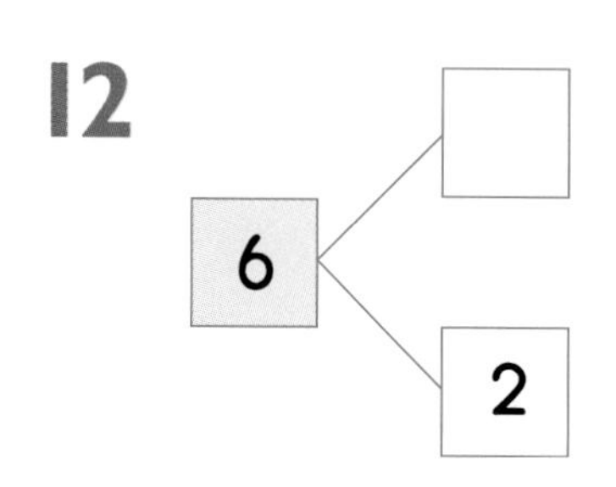

13

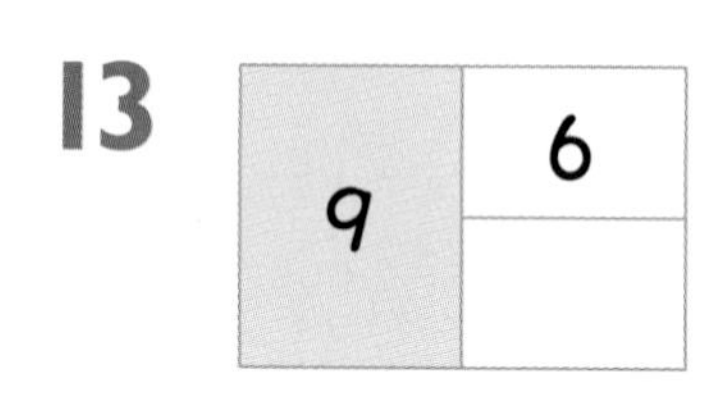

14

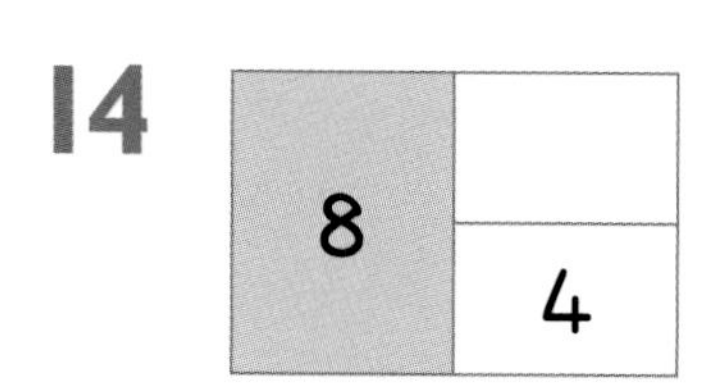

15

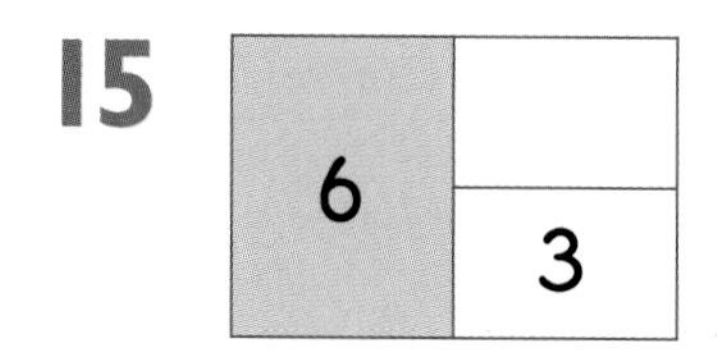

16

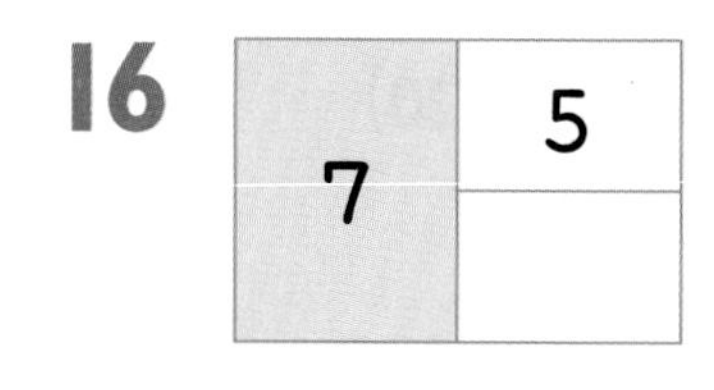

17

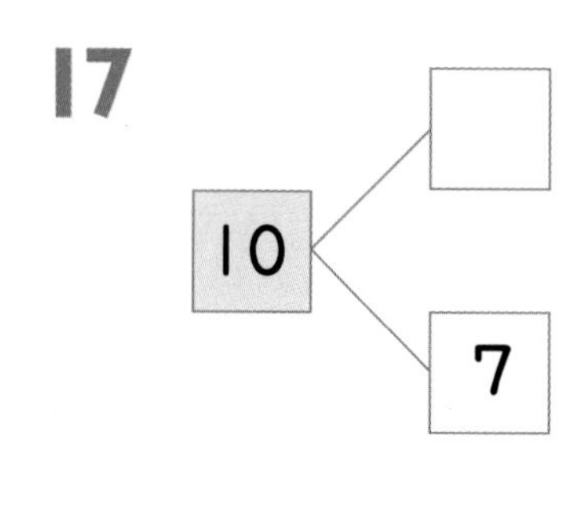

18

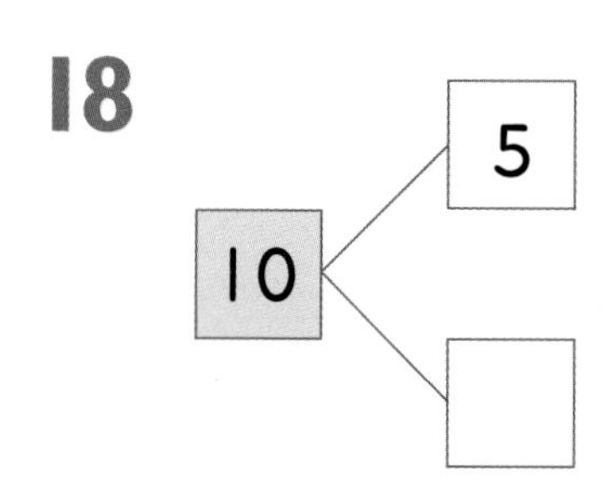

19

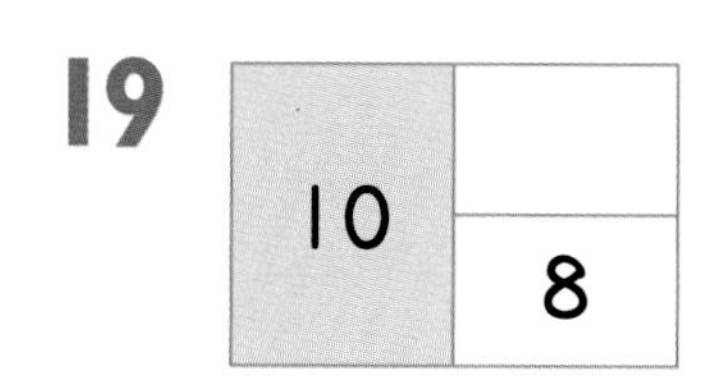

20

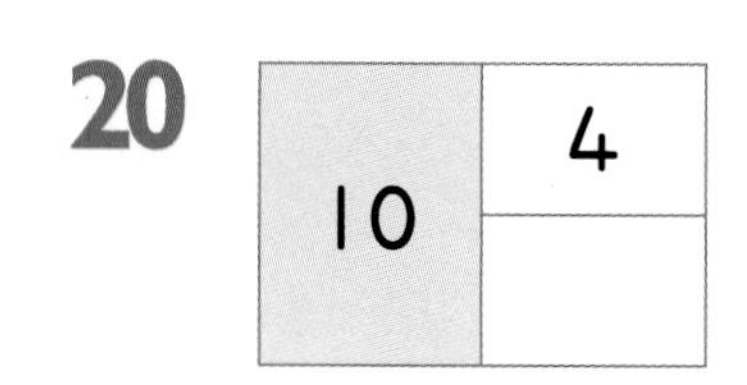

3
모으기
새앵~

핵심 1 두 수를 모으기

1	2	3	4
3	2	1	

1과 3, 2와 2, 3과 1을 모으면 4가 됩니다.

1	2	3	4	5	6	7	8
7	6	5	4	3	2	1	

1과 7, 2와 6, 3과 5, 4와 4, 5와 3, 6과 2, 7과 1을 모으면 8이 됩니다.

구슬, 바둑돌 등을 사용하여 모으기를 해 봅니다.

핵심 2 두 수를 모아 10 만들기

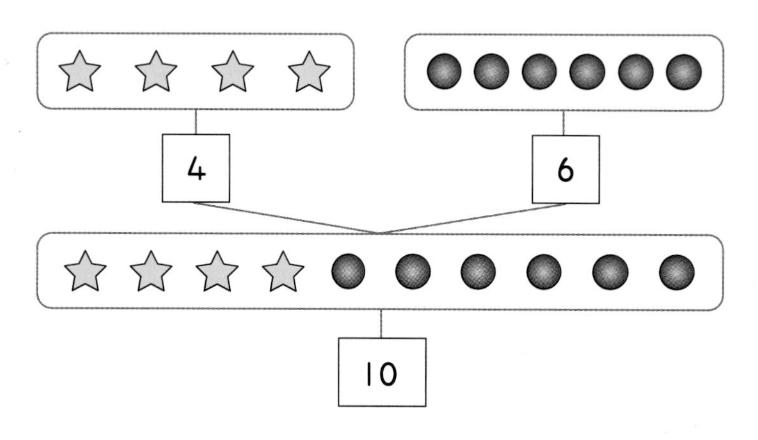

0	1	2	3	4	5	6	7	8	9	10	10
10	9	8	7	6	5	4	3	2	1	0	

0과 10, 1과 9, 2와 8, 3과 7, 4와 6, 5와 5, 6과 4, 7과 3, 8과 2, 9와 1, 10과 0을 모으면 10이 됩니다.

10이 되는 두 수를 알고 있으면 4단원과 5단원에서 배우는 더하기와 빼기를 공부할 때 편리합니다.

시간	1분	1~2분	2~3분	점수 A + 점수 B	8~10점	5~7점	1~4점
점수 A	5	3	1				
맞은 개수	14~16개	10~13개	1~9개		참 잘했어요	잘했어요	좀더 노력하세요
점수 B	5	3	1				

핵심 1-1 두 수를 모으기 (1)

❋ 두 수를 모아 2 만들기

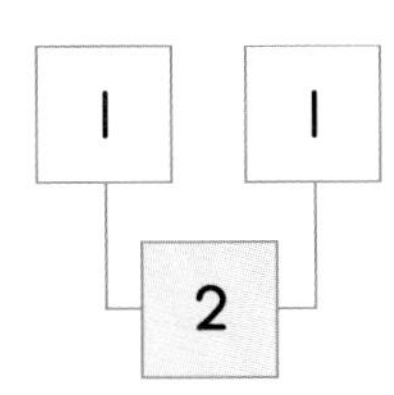

❋ 두 수를 모아 3 만들기

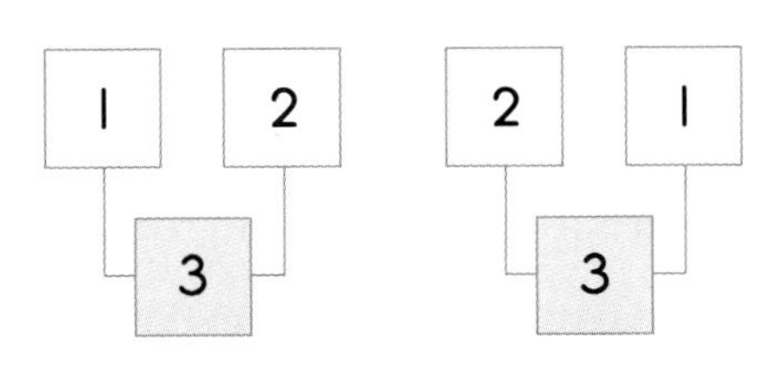

❋ 두 수를 모아 4 만들기

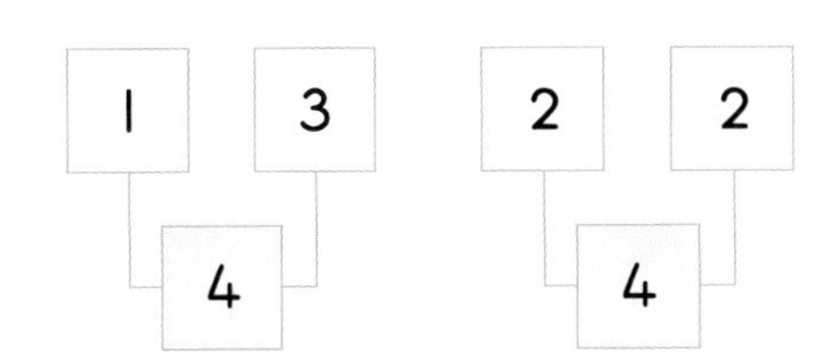

❋ 두 수를 모아 5 만들기

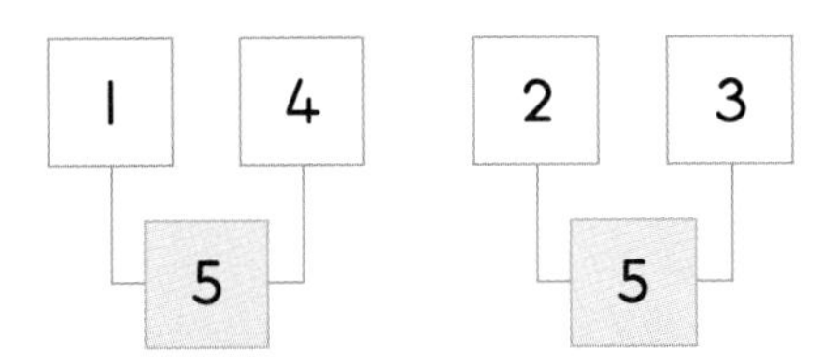

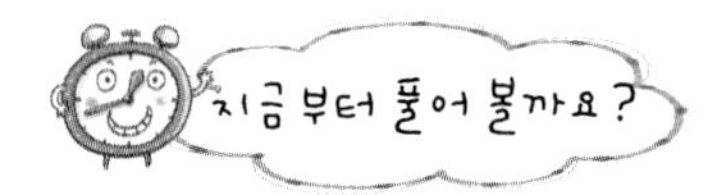

1

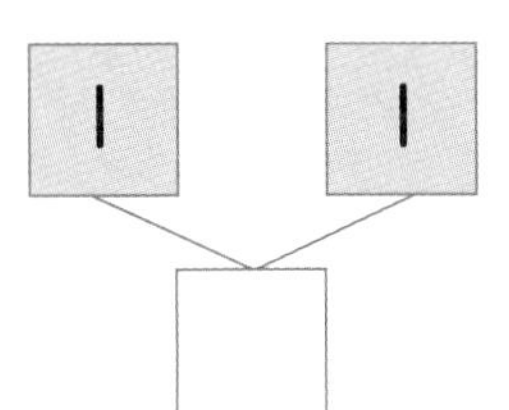

2

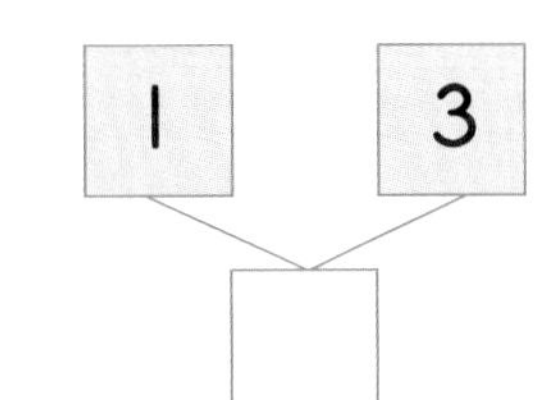

3

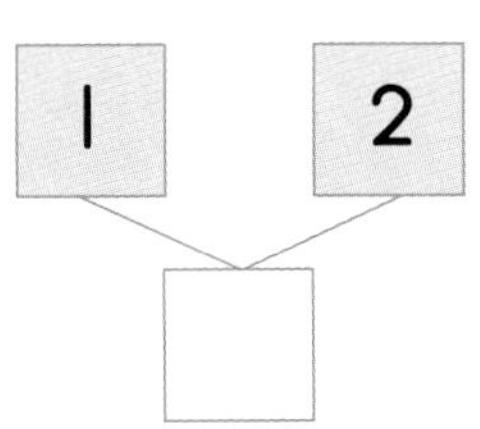

4

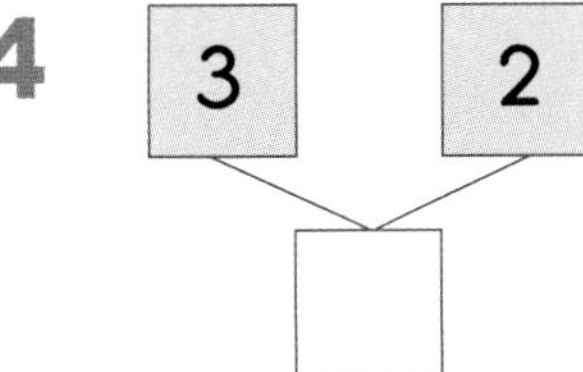

5

2	
1	

6

2	
2	

7

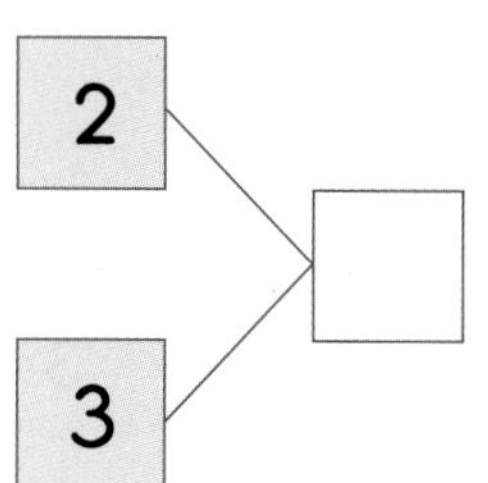

8

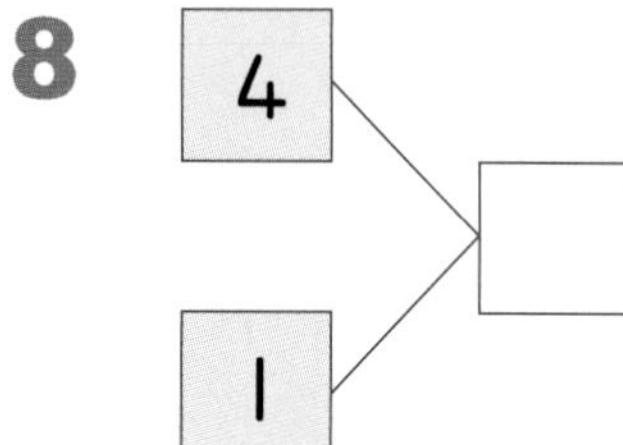

9

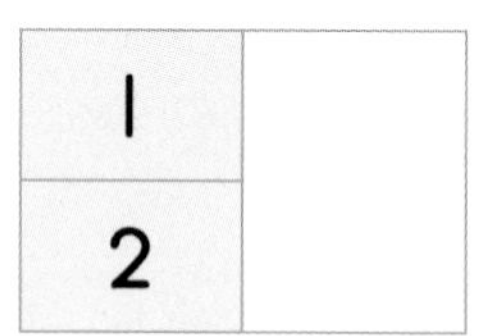

10

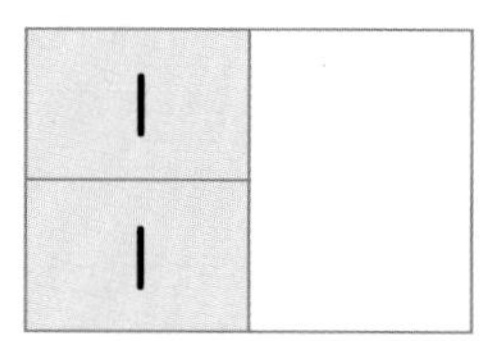

11

2	
2	

12

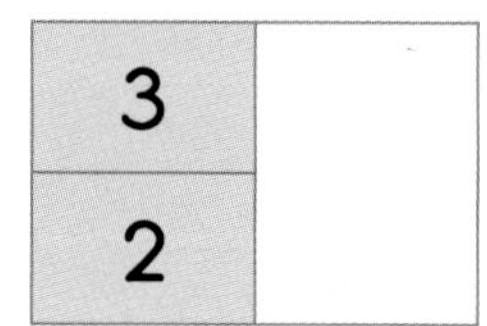

13

2	
1	

14

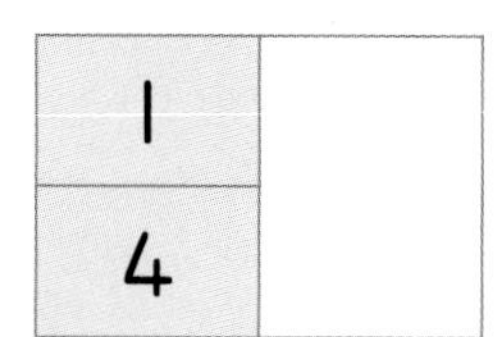

15

2	
3	

16

3	
1	

시간	1분	1~2분	2~3분	점수A + 점수B	8~10점	5~7점	1~4점
점수 A	5	3	1				
맞은 개수	14~16개	10~13개	1~9개		참 잘했어요	잘했어요	좀더 노력하세요
점수 B	5	3	1				

핵심 1-2 두 수를 모으기 (2)

❋ 두 수를 모아 6 만들기

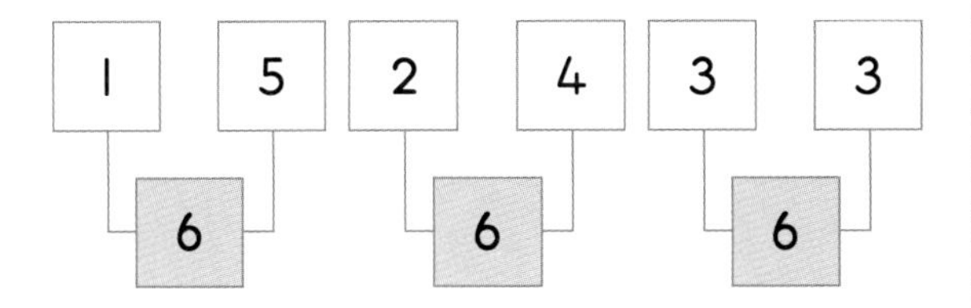

❋ 두 수를 모아 7 만들기

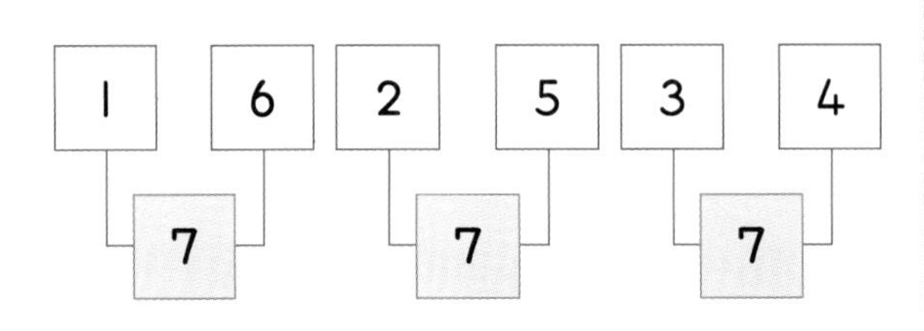

❋ 두 수를 모아 8 만들기

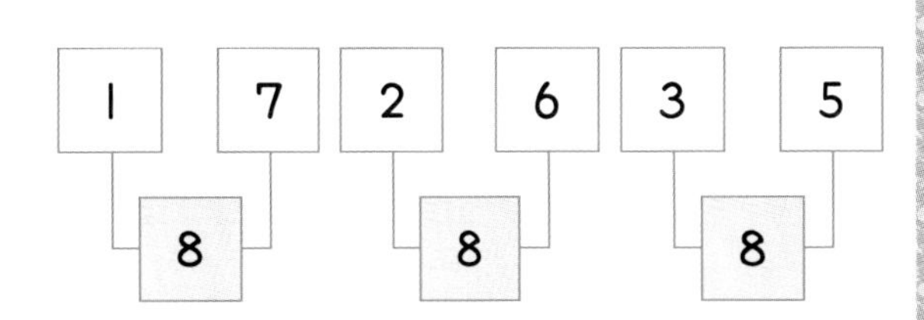

❋ 두 수를 모아 9 만들기

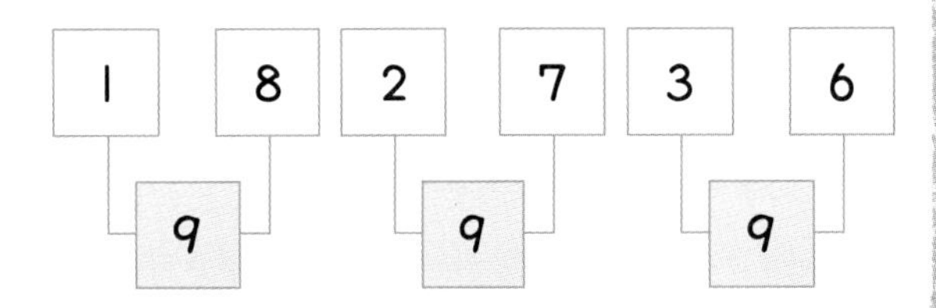

지금부터 풀어볼까요?

1

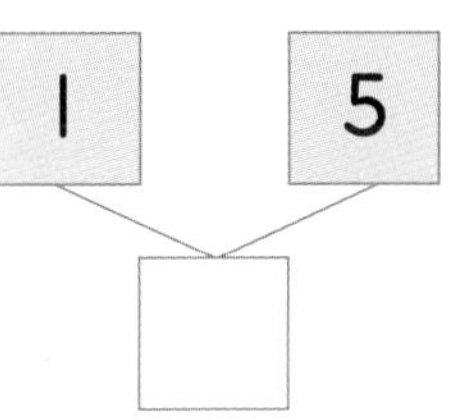

2

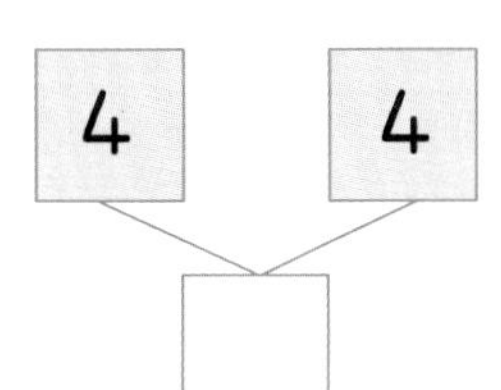

3

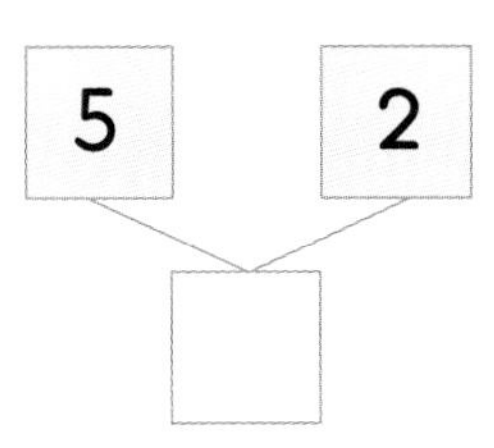

4

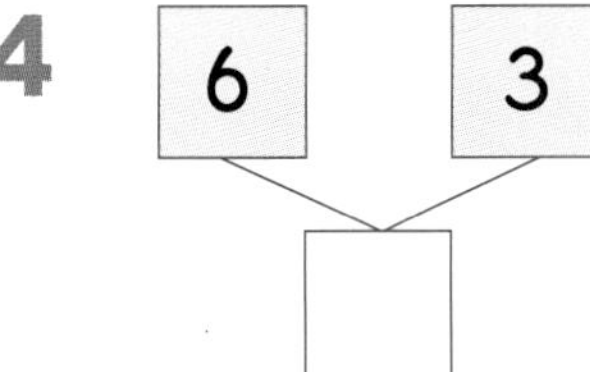

5

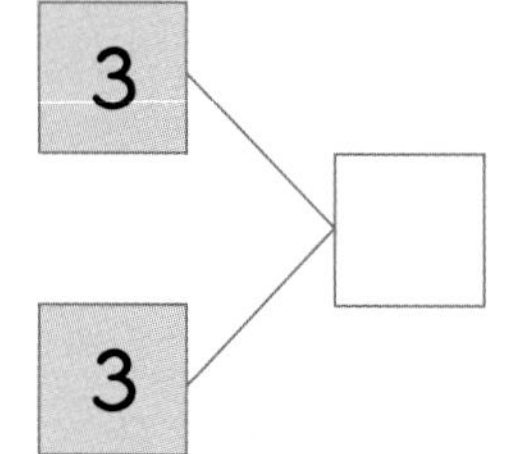

6

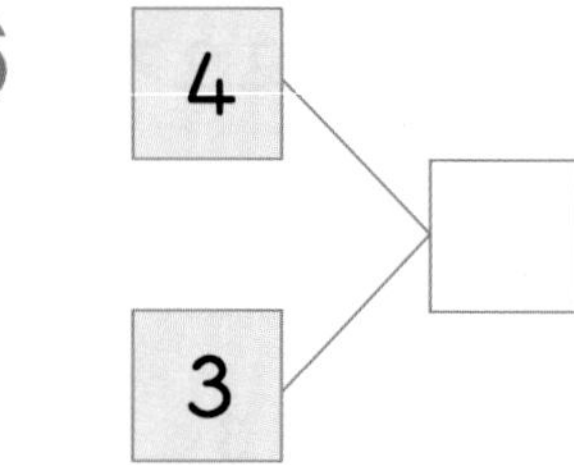

7

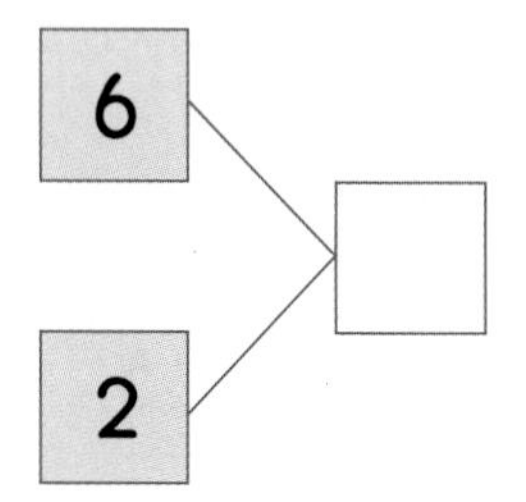

8

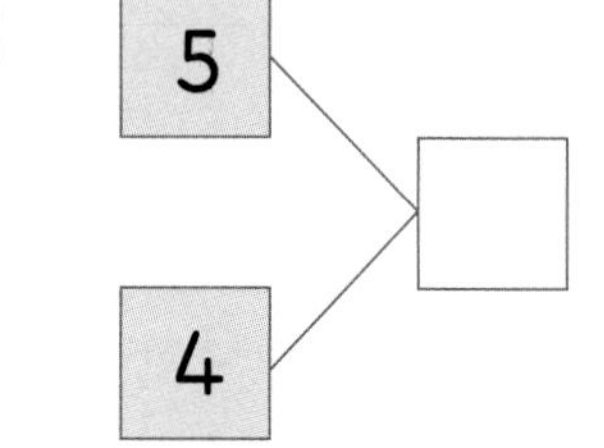

9

2	
4	

10

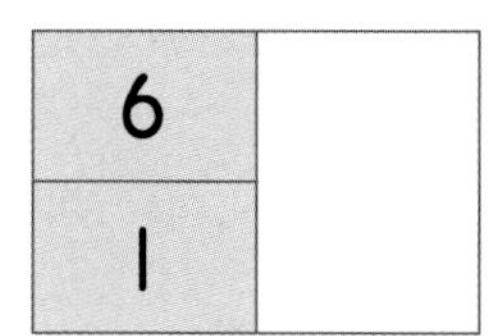

11

7	
2	

12

3	
5	

13

2	
5	

14

5	
1	

15

1	
7	

16

8	
1	

시간	1분	1~2분	2~3분	점수A + 점수B	8~10점	5~7점	1~4점
점수 A	5	3	1				
맞은 개수	14~16개	10~13개	1~9개		참 잘했어요	잘했어요	좀더 노력하세요
점수 B	5	3	1				

핵심 2 두 수를 모아 10 만들기

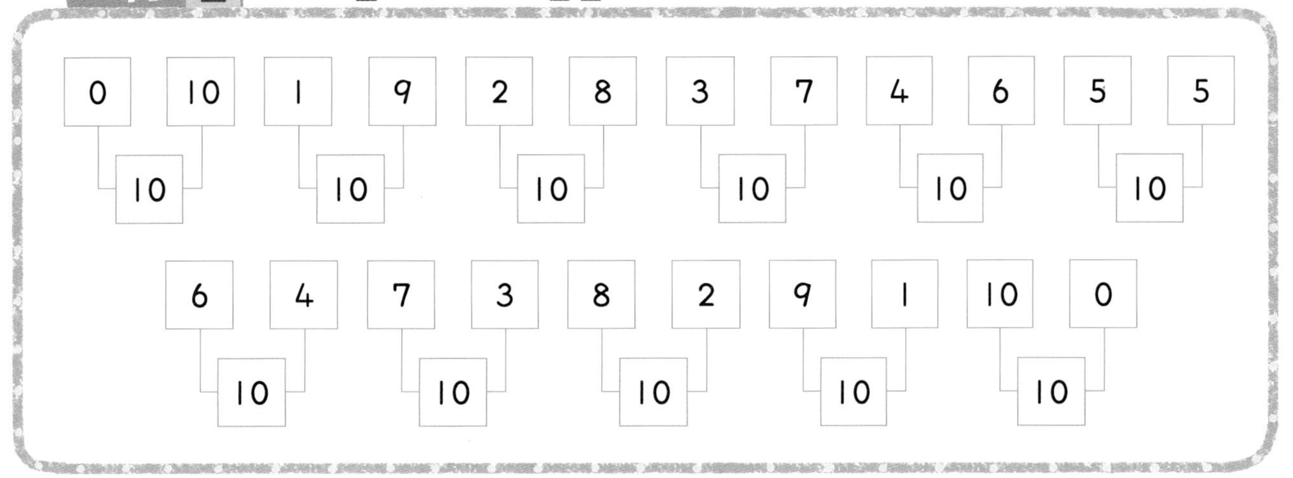

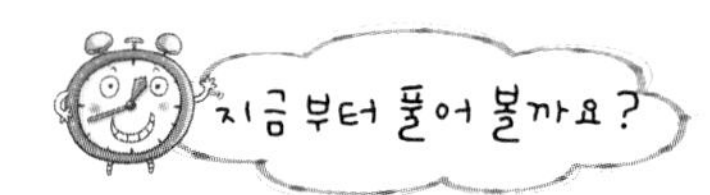

1 6 4 → □

2

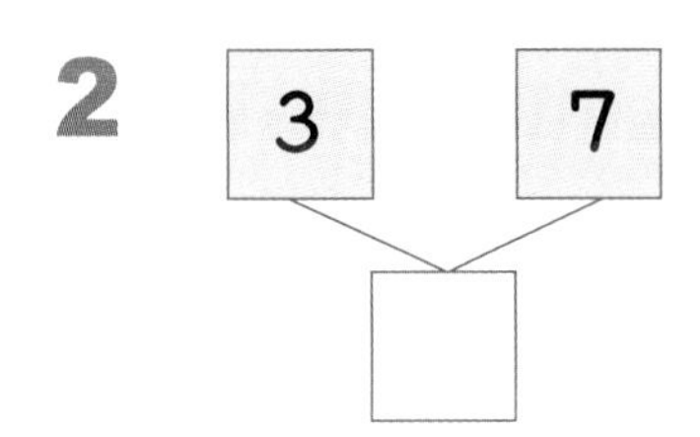

3 5 5 → □

4

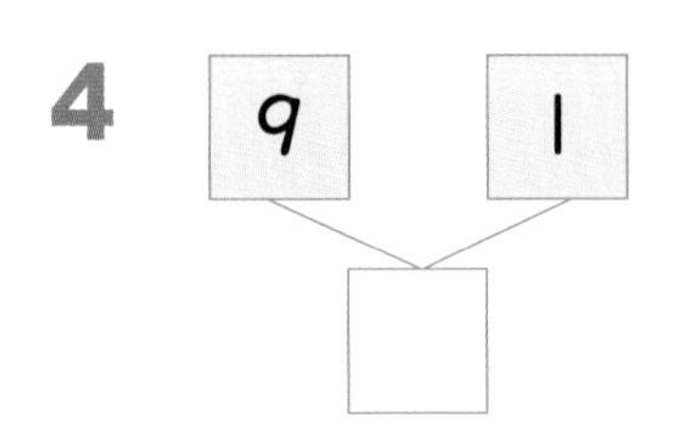

5 8 2 → □

6

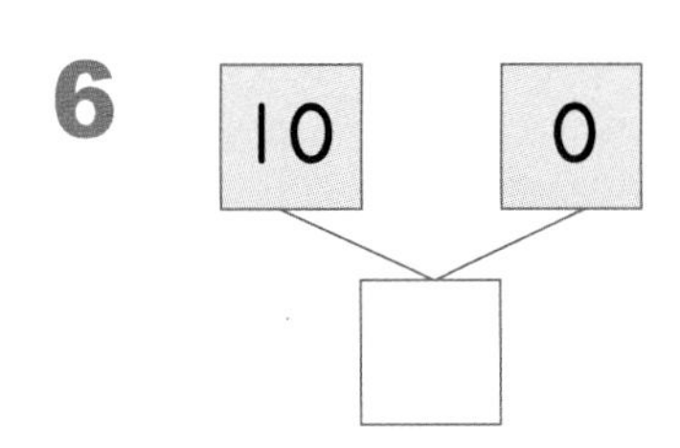

핵심 다지기

7

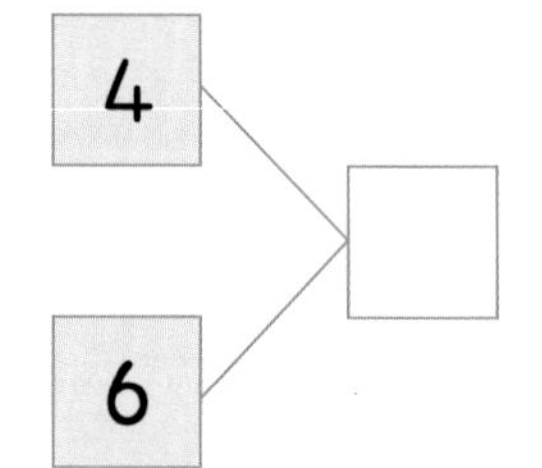

8

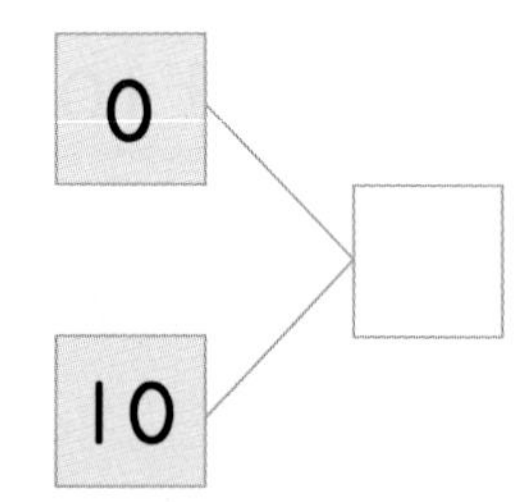

9

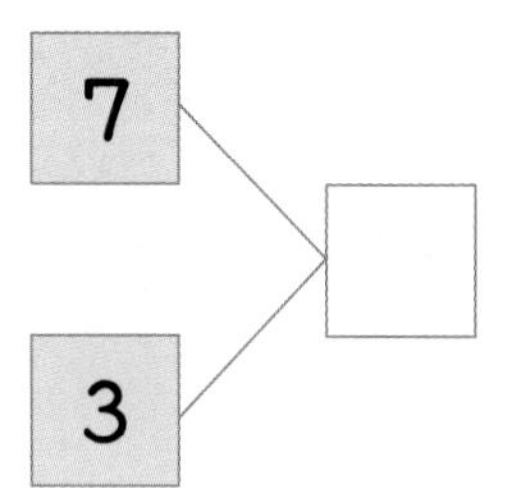

10

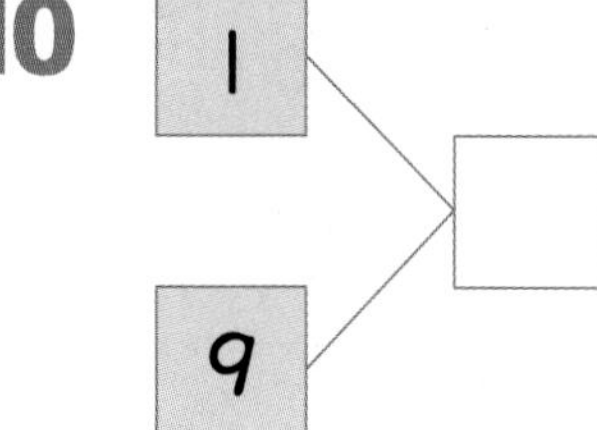

11

2	
8	

12

3	
7	

13

5	
5	

14

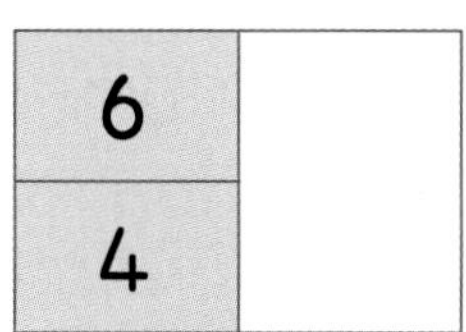

15

9	
1	

16

10	
0	

시간	1~2분	2~3분	3~4분	4~5분	5~6분	점수A + 점수B	9~10점	7~8점	1~6점
점수 A	5	4	3	2	1				
맞은 개수	18~20개	15~17개	12~14개	9~11개	1~8개		참 잘했어요	잘했어요	좀더 노력하세요
점수 B	5	4	3	2	1				

두 수를 모으시오. (1~20)

1

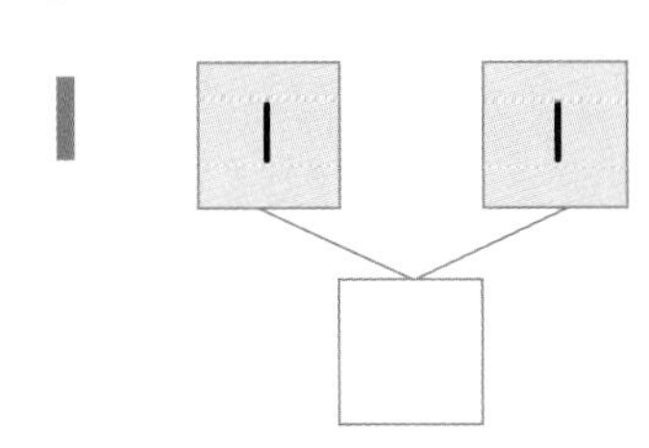

2

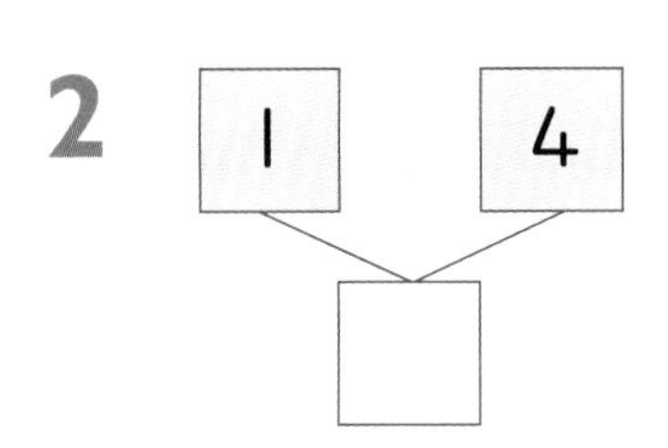

3

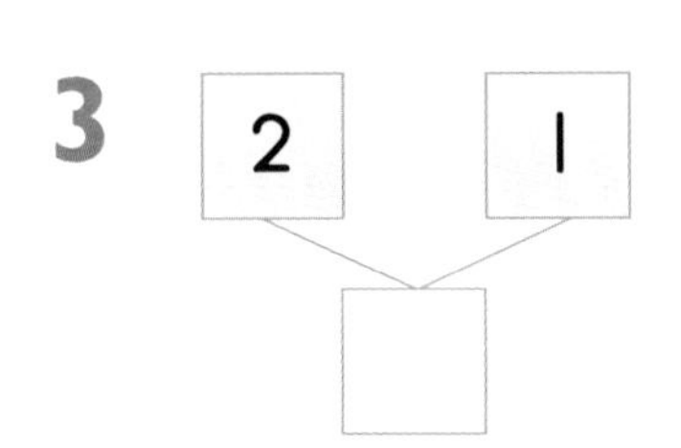

4

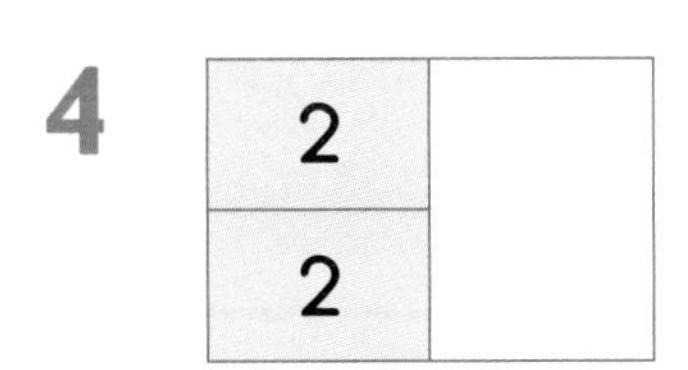

5

3	
2	

6

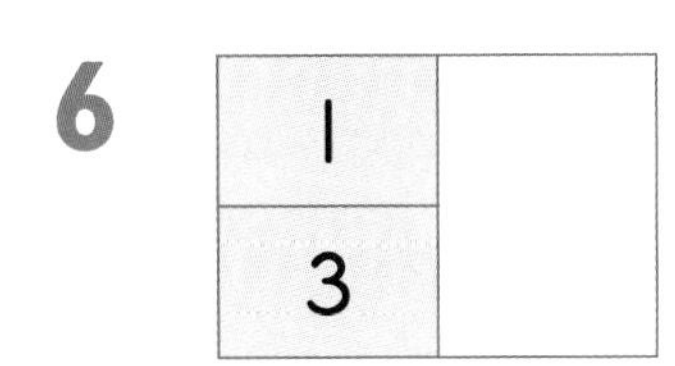

7

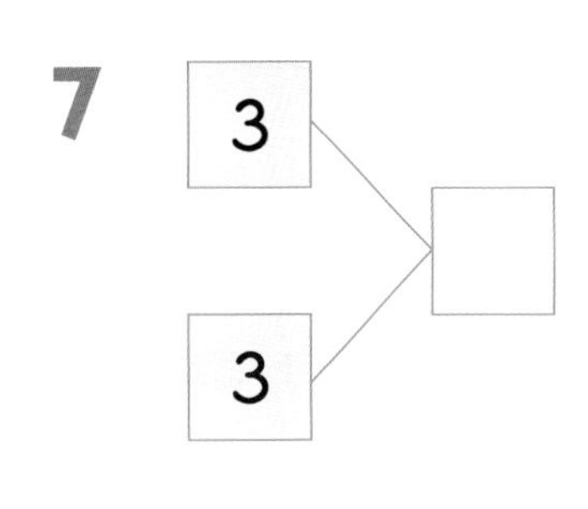

8

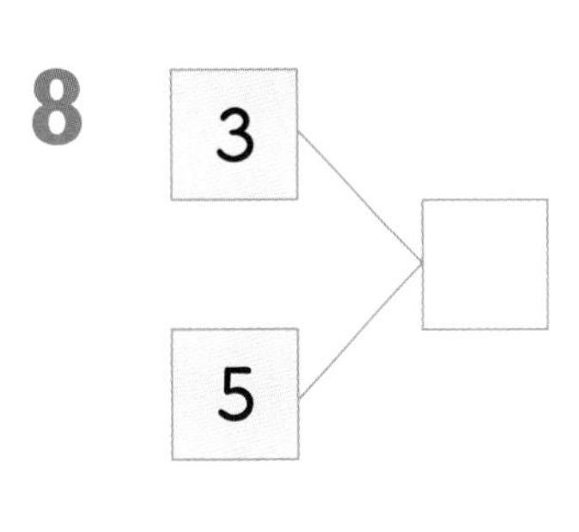

9

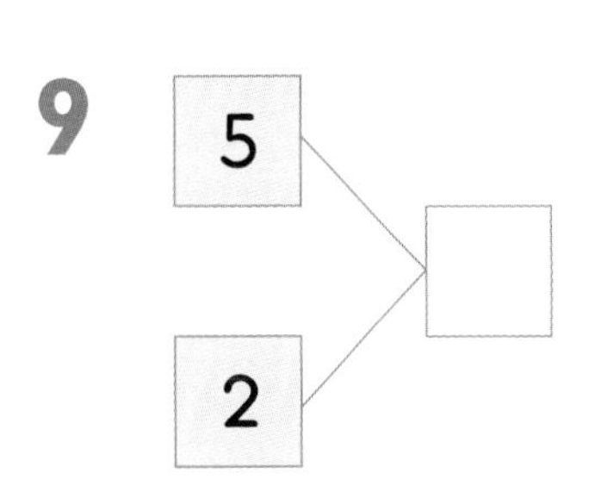

10

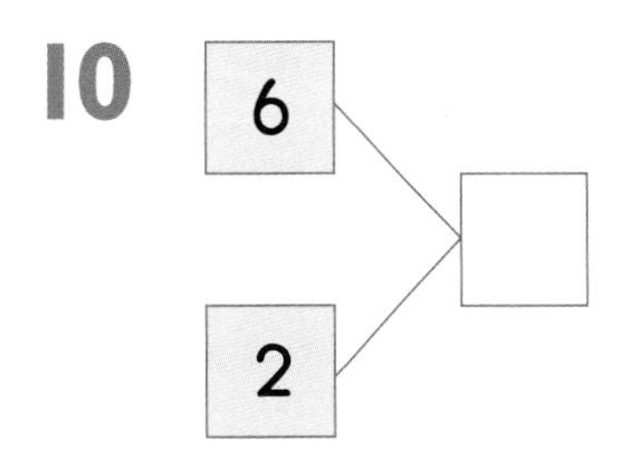

단원 마무리 평가

11

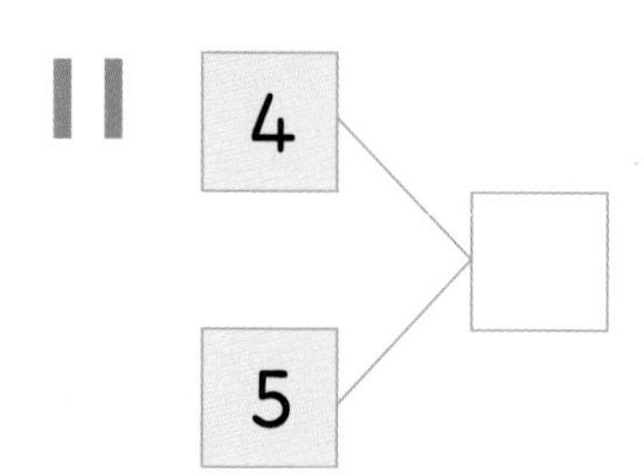

12

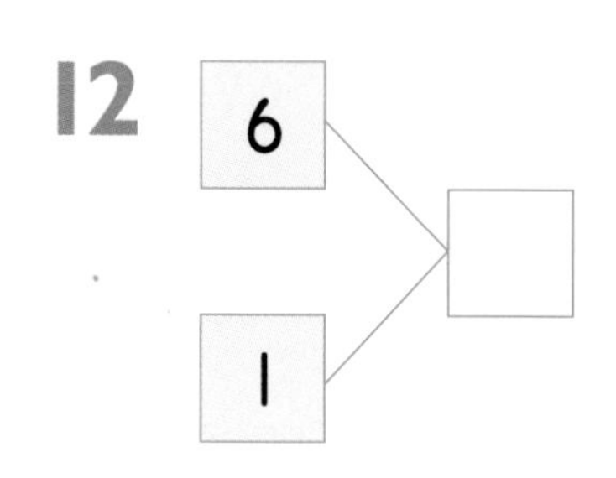

13

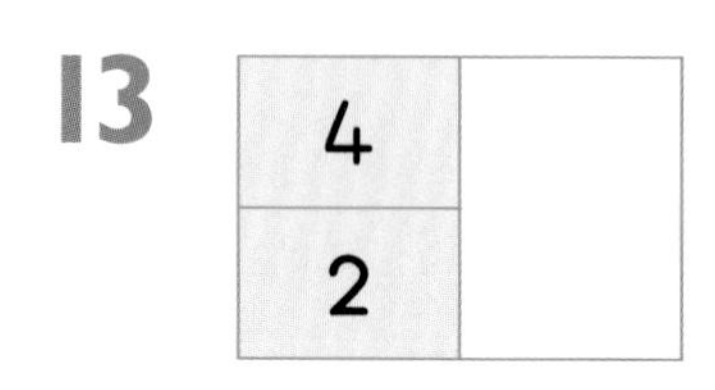

14

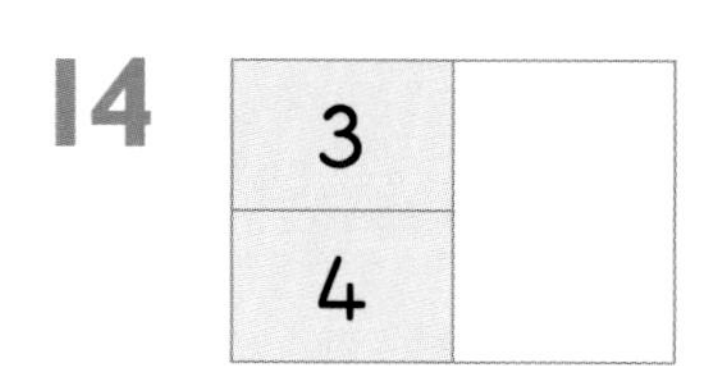

15

6	
3	

16

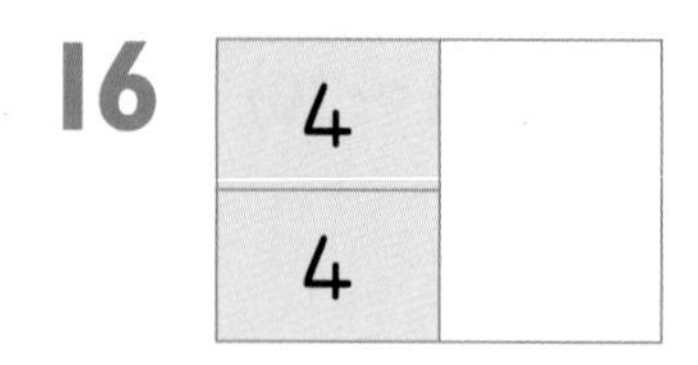

17

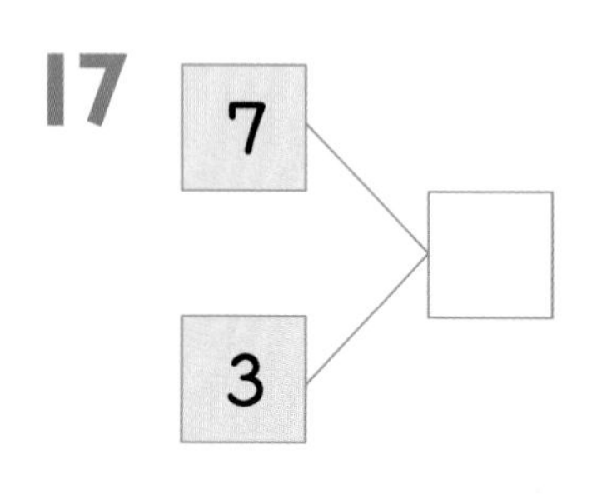

18

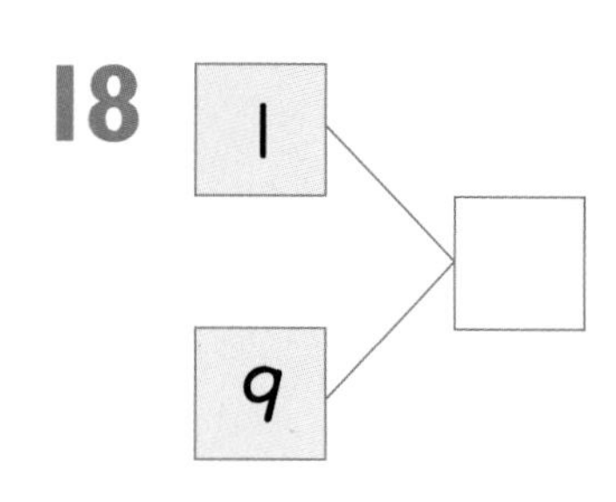

19

10	
0	

20

2	
8	

4 더하기

핵심 1 받아올림이 없는 한 자리 수의 덧셈

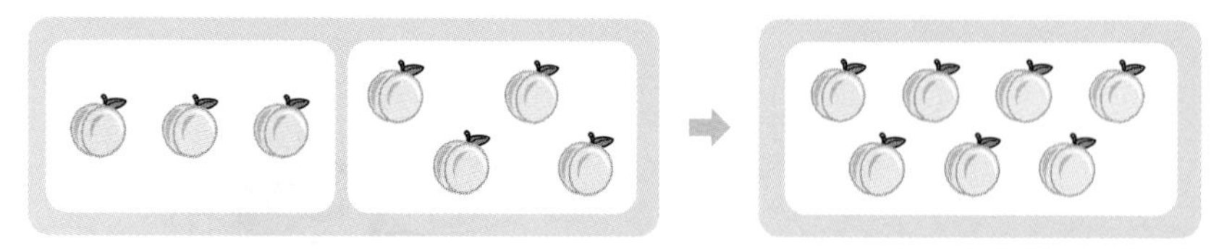

쓰기 : 3+4=7

읽기 : 3 더하기 4는 7과 같습니다.

핵심 2 10이 되는 더하기

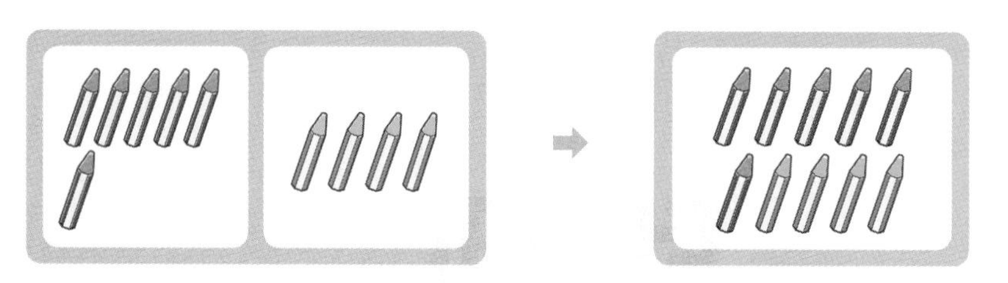

6+4=10

핵심 3 받아올림이 없는 두 자리 수의 덧셈

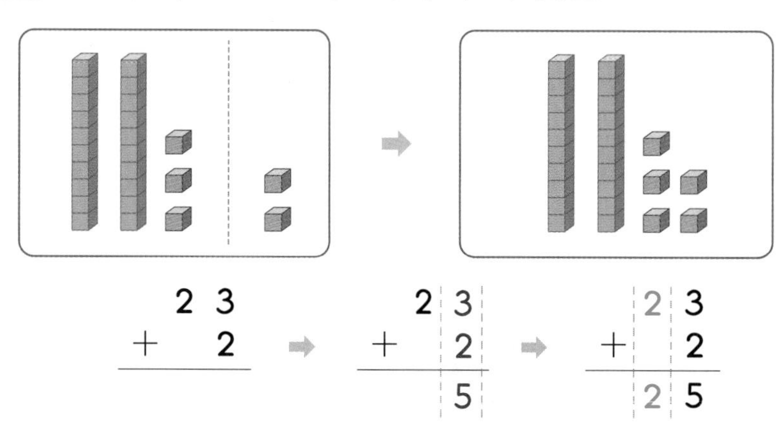

$$\begin{array}{r} 23 \\ +\ \ 2 \\ \hline \end{array} \rightarrow \begin{array}{r} 23 \\ +\ \ 2 \\ \hline 5 \end{array} \rightarrow \begin{array}{r} 23 \\ +\ \ 2 \\ \hline 25 \end{array}$$

핵심 4 받아올림이 있는 한 자리 수의 덧셈

8+5

8+2+3

10+3=13

$$\begin{array}{r} 8 \\ +\ 5 \\ \hline 13 \end{array}$$

5를 2와 3으로 가르기 하여 계산합니다.

- 수가 늘어날 때나 개수의 합을 구할 때는 덧셈으로 계산합니다.

- 합이 10이 되는 더하기
  - 0+10=10
  - 1+9=10
  - 2+8=10
  - 3+7=10
  - 4+6=10
  - 5+5=10
  - 6+4=10
  - 7+3=10
  - 8+2=10
  - 9+1=10
  - 10+0=10

가로셈을 세로셈으로 고쳐서 계산할 경우에는 자리를 잘 맞추어서 써야 합니다.

$$\begin{array}{r} 23 \\ +2\ \ \\ \hline 43 \end{array}$$
(×)

핵심 다지기

시간	1~2분	2~3분	3~4분	점수A + 점수B	8~10점	5~7점	1~4점
점수 A	5	3	1				
맞은 개수	17~20개	12~16개	1~11개		참 잘했어요	잘했어요	좀더 노력하세요
점수 B	5	3	1				

핵심 1 받아올림이 없는 (한 자리 수)+(한 자리 수)

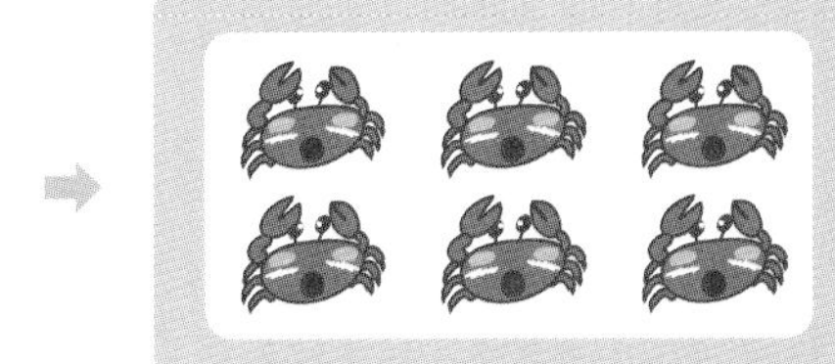

4+2=6

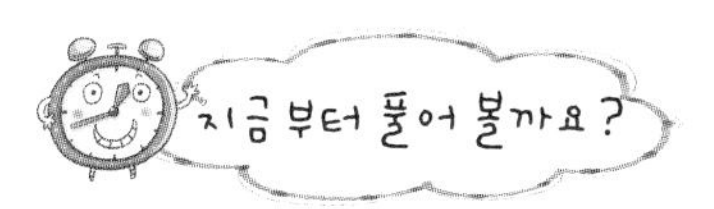

1

2+3=□

2

4+4=□

3

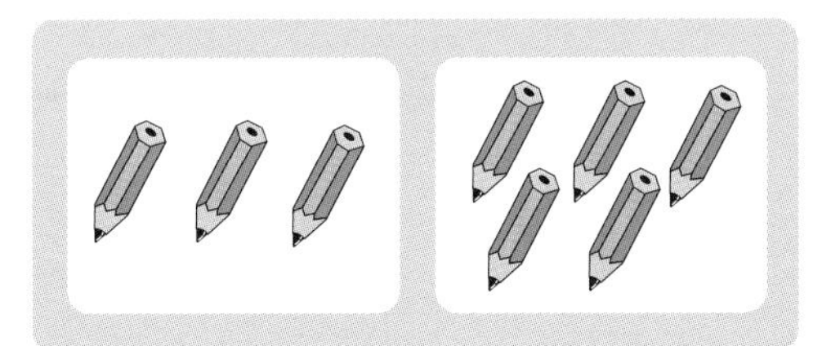

3+5=□

4

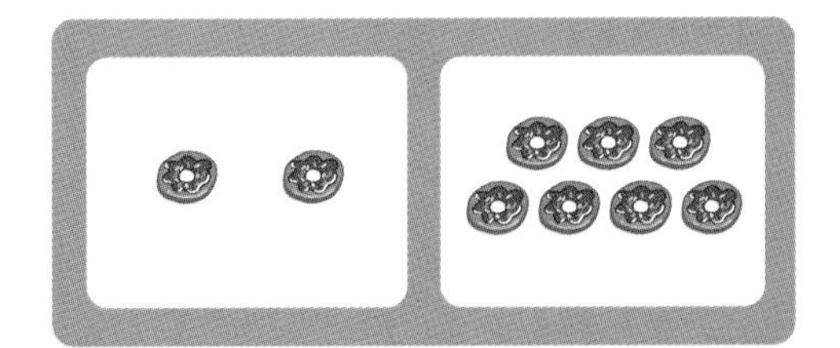

2+7=□

5 $1+4=$

6 $1+7=$

7 $2+2=$

8 $2+5=$

9 $2+6=$

10 $3+1=$

11 $3+2=$

12 $3+6=$

13 $4+3=$

14 $4+5=$

15 $5+1=$

16 $5+2=$

17 $6+2=$

18 $6+3=$

19 $7+1=$

20 $8+1=$

시간	1분	1~2분	2~3분	점수 A + 점수 B	8~10 점	5~7점	1~4점
점수 A	5	3	1				
맞은 개수	9~10개	6~8개	1~5개		참 잘했어요	잘했어요	좀더 노력하세요
점수 B	5	3	1				

핵심 2-1 10이 되는 더하기 (1)

빨간 풍선 5개와 노란 풍선 5개를 더하면 풍선은 10개가 됩니다.

$5+5=10$

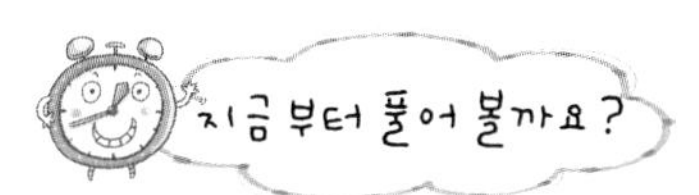

1 $9+1=$

2 $8+2=$

3 $7+3=$

4 $6+4=$

5 $5+5=$

6 $4+6=$

7 $3+7=$

8 $2+8=$

9 $1+9=$

10 $0+10=$

시간	1분	1~2분	2~3분	점수A + 점수B	8~10점	5~7점	1~4점
점수A	5	3	1				
맞은 개수	9~10개	6~8개	1~5개		참 잘했어요	잘했어요	좀더 노력하세요
점수B	5	3	1				

핵심 2-2 10이 되는 더하기 (2)

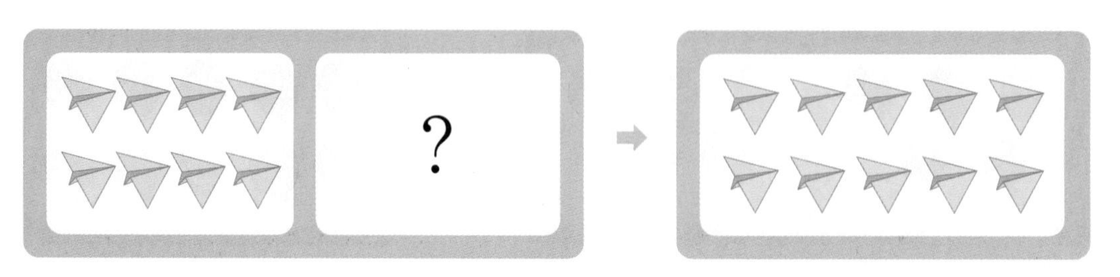

종이 비행기 8개에 종이 비행기 2개를 더 모으면 10개가 됩니다.

8+ [2] =10

지금부터 풀어 볼까요?

1 9+ □ =10

2 □ +8=10

3 □ +7=10

4 6+ □ =10

5 □ +5=10

6 3+ □ =10

7 4+ □ =10

8 10+ □ =10

9 2+ □ =10

10 □ +1=10

시간	1~2분	2~3분	3~4분	점수A + 점수B	8~10점	5~7점	1~4점
점수 A	5	3	1				
맞은 개수	16~18개	11~15개	1~10개		참 잘했어요	잘했어요	좀더 노력하세요
점수 B	5	3	1				

핵심 3-1 (몇십)+(몇) ①

$$\begin{array}{r} 20 \\ +\ \ 3 \\ \hline \end{array} \Rightarrow \begin{array}{r} 20 \\ +\ \ 3 \\ \hline 3 \end{array} \Rightarrow \begin{array}{r} 20 \\ +\ \ 3 \\ \hline 23 \end{array}$$

낱개의 수끼리 더하여 낱개의 자리에 쓰고, 10개씩 묶음의 수는 그대로 내려 씁니다.

지금부터 풀어 볼까요?

1

$$\begin{array}{r} 30 \\ +\ \ 4 \\ \hline \end{array} \Rightarrow \begin{array}{r} 30 \\ +\ \ 4 \\ \hline \square \end{array} \Rightarrow \begin{array}{r} 30 \\ +\ \ 4 \\ \hline \square\square \end{array}$$

2

$$\begin{array}{r} 7 \\ +\ 40 \\ \hline \end{array} \Rightarrow \begin{array}{r} 7 \\ +\ 40 \\ \hline \square \end{array} \Rightarrow \begin{array}{r} 7 \\ +\ 40 \\ \hline \square\square \end{array}$$

3

$$\begin{array}{r} 20 \\ +\ \ 5 \\ \hline \square\square \end{array}$$

4

$$\begin{array}{r} 40 \\ +\ \ 4 \\ \hline \square\square \end{array}$$

5

$$\begin{array}{r} 3 \\ +\ 50 \\ \hline \square\square \end{array}$$

6

$$\begin{array}{r} 5 \\ +\ 70 \\ \hline \square\square \end{array}$$

7
$$\begin{array}{r} 20 \\ +\ \ 3 \\ \hline \end{array}$$

8
$$\begin{array}{r} 30 \\ +\ \ 2 \\ \hline \end{array}$$

9
$$\begin{array}{r} 50 \\ +\ \ 4 \\ \hline \end{array}$$

10
$$\begin{array}{r} 60 \\ +\ \ 1 \\ \hline \end{array}$$

11
$$\begin{array}{r} 70 \\ +\ \ 5 \\ \hline \end{array}$$

12
$$\begin{array}{r} 80 \\ +\ \ 8 \\ \hline \end{array}$$

13
$$\begin{array}{r} 2 \\ +10 \\ \hline \end{array}$$

14
$$\begin{array}{r} 4 \\ +20 \\ \hline \end{array}$$

15
$$\begin{array}{r} 5 \\ +30 \\ \hline \end{array}$$

16
$$\begin{array}{r} 6 \\ +50 \\ \hline \end{array}$$

17
$$\begin{array}{r} 7 \\ +70 \\ \hline \end{array}$$

18
$$\begin{array}{r} 9 \\ +80 \\ \hline \end{array}$$

시간	1~2분	2~3분	3~4분	점수A + 점수B	8~10점	5~7점	1~4점
점수 A	5	3	1				
맞은 개수	9~10개	6~8개	1~5개		참 잘했어요	잘했어요	좀더 노력하세요
점수 B	5	3	1				

핵심 3-2 (몇십)+(몇) ②

$30+2=\boxed{32}$ ➡ $\begin{array}{r} 30 \\ +\ \ 2 \\ \hline \boxed{32} \end{array}$

가로셈은 세로셈으로 나타내어 계산합니다.

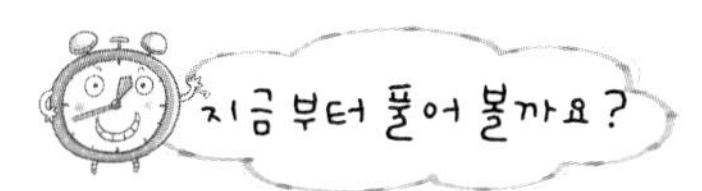

1 $20+6=\square$ ➡ $\begin{array}{r} 20 \\ +\ \ 6 \\ \hline \square \end{array}$

2 $5+30=\square$ ➡ $\begin{array}{r} 5 \\ +30 \\ \hline \square \end{array}$

3 $30+3=$

4 $40+2=$

5 $50+6=$

6 $90+7=$

7 $2+40=$

8 $4+50=$

9 $7+60=$

10 $9+80=$

시간	1~3분	3~4분	4~5분	점수 A + 점수 B	8~10점	5~7점	1~4점
점수 A	5	3	1				
맞은 개수	26~30개	18~25개	1~17개		참 잘했어요	잘했어요	좀더 노력하세요
점수 B	5	3	1				

핵심 3-3 받아올림이 없는 (몇십 몇)+(몇) ①

$$\begin{array}{r} 35 \\ +\ \ 2 \\ \hline \end{array} \Rightarrow \begin{array}{r} 35 \\ +\ \ 2 \\ \hline 7 \end{array} \Rightarrow \begin{array}{r} 35 \\ +\ \ 2 \\ \hline 37 \end{array}$$

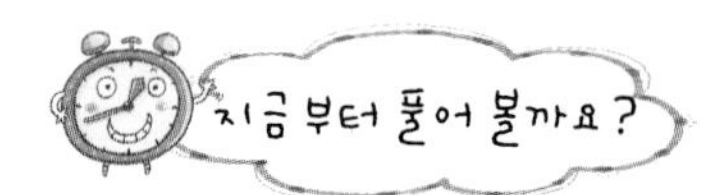

1
$$\begin{array}{r} 24 \\ +\ \ 3 \\ \hline \end{array} \Rightarrow \begin{array}{r} 24 \\ +\ \ 3 \\ \hline \square \end{array} \Rightarrow \begin{array}{r} 24 \\ +\ \ 3 \\ \hline \square\square \end{array}$$

2
$$\begin{array}{r} 5 \\ +\ 31 \\ \hline \end{array} \Rightarrow \begin{array}{r} 5 \\ +\ 31 \\ \hline \square \end{array} \Rightarrow \begin{array}{r} 5 \\ +\ 31 \\ \hline \square\square \end{array}$$

3
$$\begin{array}{r} 45 \\ +\ \ 4 \\ \hline \square\square \end{array}$$

4
$$\begin{array}{r} 52 \\ +\ \ 6 \\ \hline \square\square \end{array}$$

5
$$\begin{array}{r} 3 \\ +\ 65 \\ \hline \square\square \end{array}$$

6
$$\begin{array}{r} 7 \\ +\ 82 \\ \hline \square\square \end{array}$$

7

$$\begin{array}{r} 13 \\ +\ \ 2 \\ \hline \end{array}$$

8

$$\begin{array}{r} 21 \\ +\ \ 3 \\ \hline \end{array}$$

9

$$\begin{array}{r} 24 \\ +\ \ 5 \\ \hline \end{array}$$

10

$$\begin{array}{r} 32 \\ +\ \ 2 \\ \hline \end{array}$$

11

$$\begin{array}{r} 41 \\ +\ \ 2 \\ \hline \end{array}$$

12

$$\begin{array}{r} 43 \\ +\ \ 6 \\ \hline \end{array}$$

13

$$\begin{array}{r} 52 \\ +\ \ 3 \\ \hline \end{array}$$

14

$$\begin{array}{r} 55 \\ +\ \ 4 \\ \hline \end{array}$$

15

$$\begin{array}{r} 63 \\ +\ \ 5 \\ \hline \end{array}$$

16

$$\begin{array}{r} 71 \\ +\ \ 7 \\ \hline \end{array}$$

17

$$\begin{array}{r} 85 \\ +\ \ 2 \\ \hline \end{array}$$

18

$$\begin{array}{r} 92 \\ +\ \ 4 \\ \hline \end{array}$$

19
$$\begin{array}{r} 4 \\ +\,21 \\ \hline \end{array}$$

20
$$\begin{array}{r} 6 \\ +\,33 \\ \hline \end{array}$$

21
$$\begin{array}{r} 3 \\ +\,35 \\ \hline \end{array}$$

22
$$\begin{array}{r} 1 \\ +\,41 \\ \hline \end{array}$$

23
$$\begin{array}{r} 6 \\ +\,43 \\ \hline \end{array}$$

24
$$\begin{array}{r} 5 \\ +\,54 \\ \hline \end{array}$$

25
$$\begin{array}{r} 2 \\ +\,56 \\ \hline \end{array}$$

26
$$\begin{array}{r} 1 \\ +\,65 \\ \hline \end{array}$$

27
$$\begin{array}{r} 5 \\ +\,63 \\ \hline \end{array}$$

28
$$\begin{array}{r} 7 \\ +\,72 \\ \hline \end{array}$$

29
$$\begin{array}{r} 6 \\ +\,82 \\ \hline \end{array}$$

30
$$\begin{array}{r} 4 \\ +\,95 \\ \hline \end{array}$$

시간	1~2분	2~3분	3~4분	점수A + 점수B	8~10점	5~7점	1~4점
점수A	5	3	1				
맞은 개수	9~10개	6~8개	1~5개		참 잘했어요	잘했어요	좀더 노력하세요
점수B	5	3	1				

핵심 3-4 받아올림이 없는 (몇십 몇)+(몇) ②

$31+4=\boxed{35}$ ➡ $\begin{array}{r} 31 \\ +\ \ 4 \\ \hline \boxed{35} \end{array}$

지금부터 풀어 볼까요?

1 $22+2=\square$ ➡ $\begin{array}{r} 22 \\ +\ \ 2 \\ \hline \square \end{array}$

2 $3+24=\square$ ➡ $\begin{array}{r} 3 \\ +24 \\ \hline \square \end{array}$

3 $16+3=$

4 $32+5=$

5 $43+6=$

6 $71+4=$

7 $3+21=$

8 $4+33=$

9 $6+53=$

10 $2+85=$

시간	1~2분	2~3분	3~4분	점수A + 점수B	8~10점	5~7점	1~4점
점수 A	5	3	1				
맞은 개수	15~17개	11~14개	1~10개		참 잘했어요	잘했어요	좀더 노력하세요
점수 B	5	3	1				

핵심 3-5 받아올림이 없는 (몇십)+(몇십) ①

$$\begin{array}{r} 20 \\ +\,30 \\ \hline \end{array} \Rightarrow \begin{array}{r} 20 \\ +\,30 \\ \hline 0 \end{array} \Rightarrow \begin{array}{r} 20 \\ +\,30 \\ \hline 50 \end{array}$$

낱개의 수끼리 더하여 낱개의 자리에 쓰고, 10개씩 묶음의 수끼리 더하여 10개씩 묶음의 자리에 씁니다.

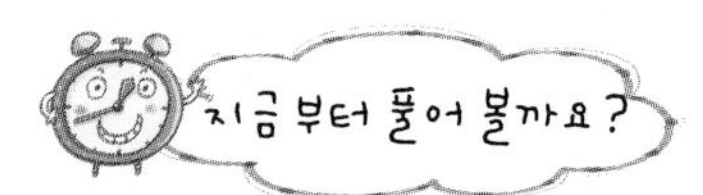

1

$$\begin{array}{r} 20 \\ +\,40 \\ \hline \end{array} \Rightarrow \begin{array}{r} 20 \\ +\,40 \\ \hline \square \end{array} \Rightarrow \begin{array}{r} 20 \\ +\,40 \\ \hline \square\square \end{array}$$

2

$$\begin{array}{r} 10 \\ +\,30 \\ \hline \square\square \end{array}$$

3

$$\begin{array}{r} 30 \\ +\,30 \\ \hline \square\square \end{array}$$

4

$$\begin{array}{r} 30 \\ +\,60 \\ \hline \square\square \end{array}$$

5

$$\begin{array}{r} 40 \\ +\,50 \\ \hline \square\square \end{array}$$

6
$$\begin{array}{r} 10 \\ +20 \\ \hline \end{array}$$

7
$$\begin{array}{r} 20 \\ +10 \\ \hline \end{array}$$

8
$$\begin{array}{r} 20 \\ +20 \\ \hline \end{array}$$

9
$$\begin{array}{r} 20 \\ +70 \\ \hline \end{array}$$

10
$$\begin{array}{r} 30 \\ +50 \\ \hline \end{array}$$

11
$$\begin{array}{r} 40 \\ +10 \\ \hline \end{array}$$

12
$$\begin{array}{r} 40 \\ +30 \\ \hline \end{array}$$

13
$$\begin{array}{r} 40 \\ +40 \\ \hline \end{array}$$

14
$$\begin{array}{r} 50 \\ +20 \\ \hline \end{array}$$

15
$$\begin{array}{r} 50 \\ +40 \\ \hline \end{array}$$

16
$$\begin{array}{r} 60 \\ +30 \\ \hline \end{array}$$

17
$$\begin{array}{r} 70 \\ +10 \\ \hline \end{array}$$

시간	1~2분	2~3분	3~4분	점수A + 점수B	8~10점	5~7점	1~4점
점수A	5	3	1				
맞은 개수	9~10개	6~8개	1~5개		참 잘했어요	잘했어요	좀더 노력하세요
점수B	5	3	1				

핵심 3-6 받아올림이 없는 (몇십)+(몇십) ②

$30+20=\boxed{50}$ ➡ $\begin{array}{r} 30 \\ +\ 20 \\ \hline \boxed{50} \end{array}$

지금부터 풀어 볼까요?

1 $10+40=\square$ ➡ $\begin{array}{r} 10 \\ +\ 40 \\ \hline \square \end{array}$

2 $20+50=\square$ ➡ $\begin{array}{r} 20 \\ +\ 50 \\ \hline \square \end{array}$

3 $20+30=$

4 $30+40=$

5 $40+20=$

6 $50+10=$

7 $50+30=$

8 $60+20=$

9 $70+20=$

10 $80+10=$

시간	1~3분	3~4분	4~5분	점수A + 점수B	8~10점	5~7점	1~4점
점수A	5	3	1				
맞은 개수	16~18개	11~15개	1~10개		참 잘했어요	잘했어요	좀더 노력하세요
점수B	5	3	1				

핵심 3-7 받아올림이 없는 (몇십 몇)+(몇십) ①

$$\begin{array}{r} 17 \\ +\ 20 \\ \hline \end{array} \Rightarrow \begin{array}{r} 17 \\ +\ 20 \\ \hline 7 \end{array} \Rightarrow \begin{array}{r} 17 \\ +\ 20 \\ \hline 37 \end{array}$$

지금부터 풀어 볼까요?

1

$$\begin{array}{r} 25 \\ +\ 30 \\ \hline \end{array} \Rightarrow \begin{array}{r} 25 \\ +\ 30 \\ \hline \square \end{array} \Rightarrow \begin{array}{r} 25 \\ +\ 30 \\ \hline \square\square \end{array}$$

2

$$\begin{array}{r} 40 \\ +\ 28 \\ \hline \end{array} \Rightarrow \begin{array}{r} 40 \\ +\ 28 \\ \hline \square \end{array} \Rightarrow \begin{array}{r} 40 \\ +\ 28 \\ \hline \square\square \end{array}$$

3

$$\begin{array}{r} 32 \\ +\ 20 \\ \hline \square\square \end{array}$$

4

$$\begin{array}{r} 41 \\ +\ 30 \\ \hline \square\square \end{array}$$

5

$$\begin{array}{r} 30 \\ +\ 46 \\ \hline \square\square \end{array}$$

6

$$\begin{array}{r} 50 \\ +\ 34 \\ \hline \square\square \end{array}$$

7

$$\begin{array}{r} 19 \\ +20 \\ \hline \end{array}$$

8

$$\begin{array}{r} 27 \\ +30 \\ \hline \end{array}$$

9

$$\begin{array}{r} 30 \\ +16 \\ \hline \end{array}$$

10

$$\begin{array}{r} 34 \\ +20 \\ \hline \end{array}$$

11

$$\begin{array}{r} 38 \\ +40 \\ \hline \end{array}$$

12

$$\begin{array}{r} 42 \\ +30 \\ \hline \end{array}$$

13

$$\begin{array}{r} 45 \\ +40 \\ \hline \end{array}$$

14

$$\begin{array}{r} 48 \\ +50 \\ \hline \end{array}$$

15

$$\begin{array}{r} 50 \\ +26 \\ \hline \end{array}$$

16

$$\begin{array}{r} 53 \\ +30 \\ \hline \end{array}$$

17

$$\begin{array}{r} 61 \\ +30 \\ \hline \end{array}$$

18

$$\begin{array}{r} 70 \\ +29 \\ \hline \end{array}$$

시간	1~2분	2~3분	3~4분	점수A + 점수B	8~10점	5~7점	1~4점
점수 A	5	3	1				
맞은 개수	9~10개	6~8개	1~5개		참 잘했어요	잘했어요	좀더 노력하세요
점수 B	5	3	1				

핵심 3-8 받아올림이 없는 (몇십 몇)+(몇십) ②

$23+20=\boxed{43}$ ➡ $\begin{array}{r} 23 \\ +\ 20 \\ \hline \boxed{43} \end{array}$

지금부터 풀어 볼까요?

1 $16+30=\square$ ➡ $\begin{array}{r} 16 \\ +\ 30 \\ \hline \square \end{array}$

2 $20+35=\square$ ➡ $\begin{array}{r} 20 \\ +\ 35 \\ \hline \square \end{array}$

3 $24+40=$

4 $37+50=$

5 $65+30=$

6 $76+20=$

7 $10+26=$

8 $40+19=$

9 $50+23=$

10 $70+28=$

시간	1~3분	3~4분	4~5분	점수A + 점수B	8~10점	5~7점	1~4점
점수 A	5	3	1				
맞은 개수	26~30개	18~25개	1~17개		참 잘했어요	잘했어요	좀더 노력하세요
점수 B	5	3	1				

핵심 3-9 받아올림이 없는 (몇십 몇)+(몇십 몇) ①

$$\begin{array}{r} 21 \\ +\,15 \\ \hline \end{array} \Rightarrow \begin{array}{r} 21 \\ +\,15 \\ \hline 6 \end{array} \Rightarrow \begin{array}{r} 21 \\ +\,15 \\ \hline 36 \end{array}$$

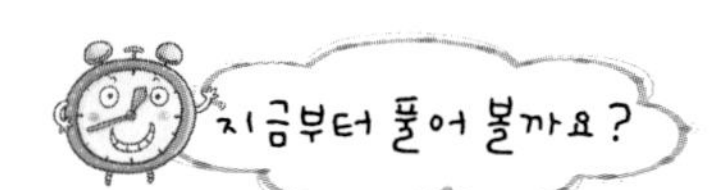

1

$$\begin{array}{r} 13 \\ +\,11 \\ \hline \end{array} \Rightarrow \begin{array}{r} 13 \\ +\,11 \\ \hline \square \end{array} \Rightarrow \begin{array}{r} 13 \\ +\,11 \\ \hline \square\square \end{array}$$

2

$$\begin{array}{r} 25 \\ +\,34 \\ \hline \end{array} \Rightarrow \begin{array}{r} 25 \\ +\,34 \\ \hline \square \end{array} \Rightarrow \begin{array}{r} 25 \\ +\,34 \\ \hline \square\square \end{array}$$

3

$$\begin{array}{r} 24 \\ +\,12 \\ \hline \square\square \end{array}$$

4

$$\begin{array}{r} 36 \\ +\,23 \\ \hline \square\square \end{array}$$

5

$$\begin{array}{r} 42 \\ +\,16 \\ \hline \square\square \end{array}$$

6

$$\begin{array}{r} 51 \\ +\,24 \\ \hline \square\square \end{array}$$

7
$$\begin{array}{r} 1\ 4 \\ +1\ 2 \\ \hline \end{array}$$

8
$$\begin{array}{r} 1\ 5 \\ +1\ 3 \\ \hline \end{array}$$

9
$$\begin{array}{r} 1\ 6 \\ +2\ 3 \\ \hline \end{array}$$

10
$$\begin{array}{r} 1\ 2 \\ +3\ 1 \\ \hline \end{array}$$

11
$$\begin{array}{r} 2\ 1 \\ +1\ 4 \\ \hline \end{array}$$

12
$$\begin{array}{r} 2\ 5 \\ +2\ 1 \\ \hline \end{array}$$

13
$$\begin{array}{r} 2\ 2 \\ +3\ 2 \\ \hline \end{array}$$

14
$$\begin{array}{r} 3\ 2 \\ +2\ 5 \\ \hline \end{array}$$

15
$$\begin{array}{r} 3\ 5 \\ +4\ 4 \\ \hline \end{array}$$

16
$$\begin{array}{r} 3\ 8 \\ +5\ 1 \\ \hline \end{array}$$

17
$$\begin{array}{r} 4\ 3 \\ +2\ 6 \\ \hline \end{array}$$

18
$$\begin{array}{r} 4\ 5 \\ +3\ 2 \\ \hline \end{array}$$

19
$$\begin{array}{r} 47 \\ +42 \\ \hline \end{array}$$

20
$$\begin{array}{r} 51 \\ +15 \\ \hline \end{array}$$

21
$$\begin{array}{r} 53 \\ +26 \\ \hline \end{array}$$

22
$$\begin{array}{r} 57 \\ +31 \\ \hline \end{array}$$

23
$$\begin{array}{r} 61 \\ +12 \\ \hline \end{array}$$

24
$$\begin{array}{r} 62 \\ +23 \\ \hline \end{array}$$

25
$$\begin{array}{r} 64 \\ +33 \\ \hline \end{array}$$

26
$$\begin{array}{r} 71 \\ +14 \\ \hline \end{array}$$

27
$$\begin{array}{r} 73 \\ +16 \\ \hline \end{array}$$

28
$$\begin{array}{r} 76 \\ +22 \\ \hline \end{array}$$

29
$$\begin{array}{r} 82 \\ +14 \\ \hline \end{array}$$

30
$$\begin{array}{r} 84 \\ +15 \\ \hline \end{array}$$

시간	1~3분	3~4분	4~5분	점수A + 점수B	8~10점	5~7점	1~4점
점수 A	5	3	1				
맞은 개수	20~24개	14~19개	1~13개		참 잘했어요	잘했어요	좀더 노력하세요
점수 B	5	3	1				

핵심 3-10 받아올림이 없는 (몇십 몇)+(몇십 몇) ②

34+21=[55] ➡

```
  3 4
+ 2 1
-----
  5 5
```

지금부터 풀어 볼까요?

1 12+23=[ ] ➡

```
  1 2
+ 2 3
-----
 [   ]
```

2 22+15=[ ] ➡

```
  2 2
+ 1 5
-----
 [   ]
```

3 34+24=

4 36+31=

5 42+17=

6 51+25=

7 54+33=

8 63+25=

9 71+23=

10 81+15=

11 $15+21=$

12 $17+32=$

13 $23+14=$

14 $26+32=$

15 $31+27=$

16 $33+35=$

17 $42+25=$

18 $43+36=$

19 $46+43=$

20 $51+27=$

21 $52+36=$

22 $63+14=$

23 $64+25=$

24 $72+11=$

시간	1~3분	3~4분	4~5분	점수A + 점수B	8~10점	5~7점	1~4점
점수 A	5	3	1				
맞은 개수	17~20개	12~16개	1~11개		참 잘했어요	잘했어요	좀더 노력하세요
점수 B	5	3	1				

핵심 4-1 받아올림이 있는 (한 자리 수)+(한 자리 수) ①

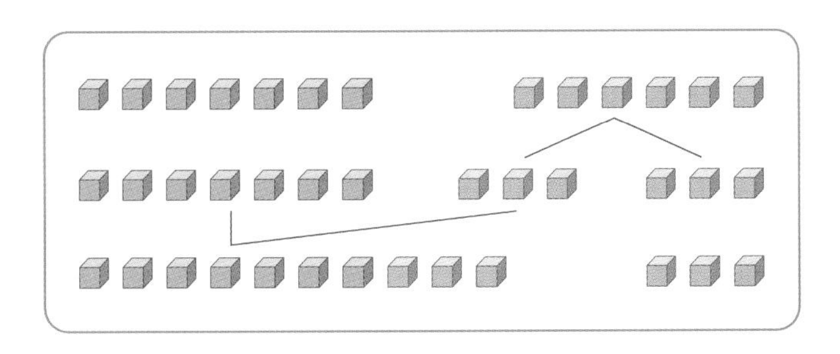

$7+6$

$7+3+3$

$10+3=\boxed{13}$

7에 3을 더하면 10이 되므로 6을 3과 3으로 가르기 하여 계산합니다.

지금부터 풀어 볼까요?

1 $9+2$

$9+1+1$

$\square+1=\square$

2 $8+4$

$8+2+2$

$\square+2=\square$

3 $6+5$

$6+\square+1$

$\square+1=\square$

4 $7+5$

$7+\square+2$

$\square+2=\square$

5 $8+3=$

6 $9+3=$

7 $7+4=$

8 $9+4=$

9 $9+5=$

10 $8+5=$

11 $7+6=$

12 $6+6=$

13 $9+6=$

14 $7+7=$

15 $8+6=$

16 $8+7=$

17 $8+8=$

18 $9+9=$

19 $9+7=$

20 $9+8=$

시간	1~3분	3~4분	4~5분	점수A + 점수B	8~10점	5~7점	1~4점
점수A	5	3	1				
맞은 개수	17~20개	12~16개	1~11개		참 잘했어요	잘했어요	좀더 노력하세요
점수B	5	3	1				

핵심 4-2 받아올림이 있는 (한 자리 수)+(한 자리 수) ②

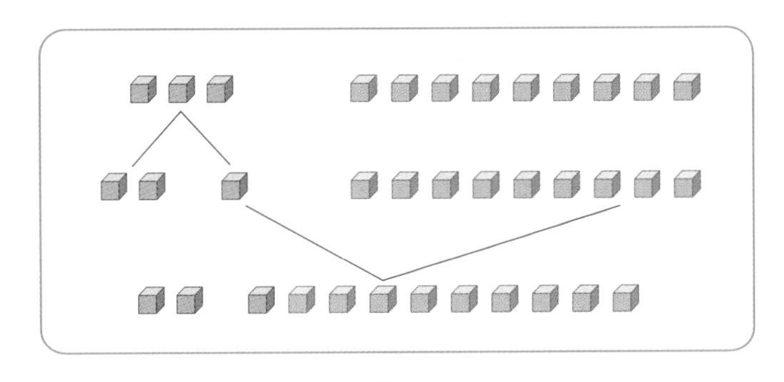

$3+9$

$2+1+9$

$2+10=$ 12

9에 1을 더하면 10이 되므로 3을 2와 1로 가르기 하여 계산합니다.

지금부터 풀어 볼까요?

1 $2+9$

$1+1+9$

$1+\square=\square$

2 $5+7$

$2+3+7$

$2+\square=\square$

3 $6+6$

$2+\square+6$

$2+\square=\square$

4 $7+8$

$5+\square+8$

$5+\square=\square$

5 $3+9=$

6 $3+8=$

7 $4+9=$

8 $4+8=$

9 $4+7=$

10 $5+6=$

11 $5+8=$

12 $5+9=$

13 $6+7=$

14 $6+8=$

15 $6+9=$

16 $7+7=$

17 $7+9=$

18 $8+8=$

19 $8+9=$

20 $9+9=$

시간	1~3분	3~4분	4~5분	점수A + 점수B	8~10점	5~7점	1~4점
점수 A	5	3	1				
맞은 개수	16~18개	11~15개	1~10개		참 잘했어요	잘했어요	좀더 노력하세요
점수 B	5	3	1				

핵심 4-3 받아올림이 있는 (한 자리 수)+(한 자리 수) ③

$$\begin{array}{r} 8 \\ +\ 3 \\ \hline \end{array} \Rightarrow \begin{array}{r} 8 \\ +\ \ 3 \\ \hline 11 \end{array}$$

8이 10이 되도록 3을 2와 1로 가르기 하여 더하면 11이 됩니다.
11을 낱개의 자리와 10개씩 묶음의 자리에 맞추어 씁니다.

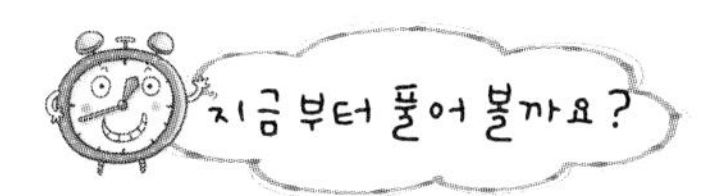

1
$$\begin{array}{r} 6 \\ +\ \ 5 \\ \hline \square\square \end{array}$$

2
$$\begin{array}{r} 7 \\ +\ \ 4 \\ \hline \square\square \end{array}$$

3
$$\begin{array}{r} 7 \\ +\ \ 5 \\ \hline \square\square \end{array}$$

4
$$\begin{array}{r} 4 \\ +\ \ 8 \\ \hline \square\square \end{array}$$

5
$$\begin{array}{r} 6 \\ +\ \ 8 \\ \hline \square\square \end{array}$$

6
$$\begin{array}{r} 9 \\ +\ \ 7 \\ \hline \square\square \end{array}$$

핵심 다지기

7
$$\begin{array}{r} 3 \\ +\ 8 \\ \hline \end{array}$$

8
$$\begin{array}{r} 4 \\ +\ 9 \\ \hline \end{array}$$

9
$$\begin{array}{r} 4 \\ +\ 7 \\ \hline \end{array}$$

10
$$\begin{array}{r} 5 \\ +\ 8 \\ \hline \end{array}$$

11
$$\begin{array}{r} 5 \\ +\ 7 \\ \hline \end{array}$$

12
$$\begin{array}{r} 6 \\ +\ 9 \\ \hline \end{array}$$

13
$$\begin{array}{r} 8 \\ +\ 8 \\ \hline \end{array}$$

14
$$\begin{array}{r} 7 \\ +\ 6 \\ \hline \end{array}$$

15
$$\begin{array}{r} 8 \\ +\ 7 \\ \hline \end{array}$$

16
$$\begin{array}{r} 9 \\ +\ 3 \\ \hline \end{array}$$

17
$$\begin{array}{r} 9 \\ +\ 5 \\ \hline \end{array}$$

18
$$\begin{array}{r} 9 \\ +\ 9 \\ \hline \end{array}$$

단원 마무리 평가

시간	1~3분	3~4분	4~5분	5~6분	6~7분	점수A + 점수B	9~10점	7~8점	1~6점
점수 A	5	4	3	2	1				
맞은 개수	18~20개	15~17개	12~14개	9~11개	1~8개		참 잘했어요	잘했어요	좀더 노력하세요
점수 B	5	4	3	2	1				

덧셈을 하시오. (1~20)

1 $3+4=$

2 $4+6=$

3 $\square+8=10$

4 $3+\square=10$

5
$$\begin{array}{r} 20 \\ +\ \ 7 \\ \hline \end{array}$$

6
$$\begin{array}{r} 35 \\ +\ \ 4 \\ \hline \end{array}$$

7 $32+7=\square$ ➡
$$\begin{array}{r} 32 \\ +\ \ 7 \\ \hline \square \end{array}$$

8 $40+8=$

9 $7+61=$

10 $30+50=$

단원 마무리 평가

11

$$\begin{array}{r} 18 \\ +30 \\ \hline \end{array}$$

12

$$\begin{array}{r} 24 \\ +43 \\ \hline \end{array}$$

13 $36+32=\square$ ➡ $\begin{array}{r} 36 \\ +32 \\ \hline \square \end{array}$

14 $20+37=$

15 $44+25=$

16 $9+5$

$9+\square+4$

$\square+4=\square$

17 $7+9$

$6+\square+9$

$6+\square=\square$

18 $8+4=$

19 $5+7=$

20

$$\begin{array}{r} 6 \\ +9 \\ \hline \end{array}$$

5

빼 기

핵심 1 한 자리 수의 뺄셈

쓰기 : 7－4＝3

읽기 : 7 빼기 4는 3과 같습니다.

핵심 2 10에서 빼기

10－6＝4

핵심 3 받아내림이 없는 두 자리 수의 뺄셈

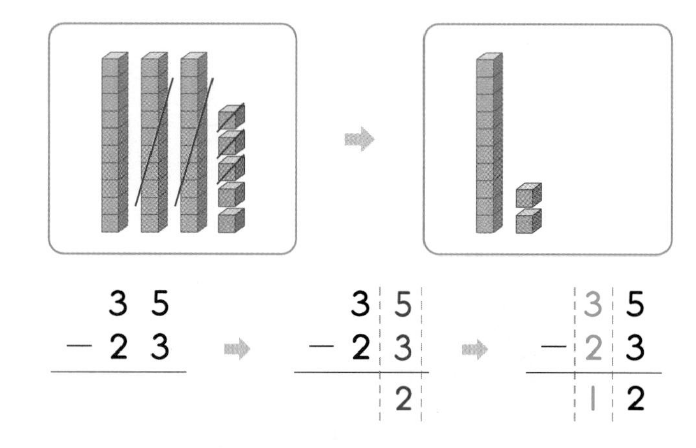

$$\begin{array}{r} 3\ 5 \\ -\ 2\ 3 \\ \hline \end{array} \Rightarrow \begin{array}{r} 3\ 5 \\ -\ 2\ 3 \\ \hline 2 \end{array} \Rightarrow \begin{array}{r} 3\ 5 \\ -\ 2\ 3 \\ \hline 1\ 2 \end{array}$$

핵심 4 받아내림이 있는 (십 몇)－(몇)

15－7

15－5－2

10－2＝8

$$\begin{array}{r} 1\ 5 \\ -\ \ \ 7 \\ \hline 8 \end{array}$$

7을 5와 2로 가르기 하여 계산합니다.

돌다리 두드리기

- 수가 줄어들 때나 개수의 차를 구할 때는 뺄셈으로 계산합니다.

- 10에서 몇을 빼기
  - 10－0＝10
  - 10－1＝9
  - 10－2＝8
  - 10－3＝7
  - 10－4＝6
  - 10－5＝5
  - 10－6＝4
  - 10－7＝3
  - 10－8＝2
  - 10－9＝1
  - 10－10＝0

핵심 다지기

시간	1~2분	2~3분	3~4분	점수A + 점수B	8~10점	5~7점	1~4점
점수 A	5	3	1				
맞은 개수	17~20개	12~16개	1~11개		참 잘했어요	잘했어요	좀더 노력하세요
점수 B	5	3	1				

핵심 1 (한 자리 수)−(한 자리 수)

$9-3=6$

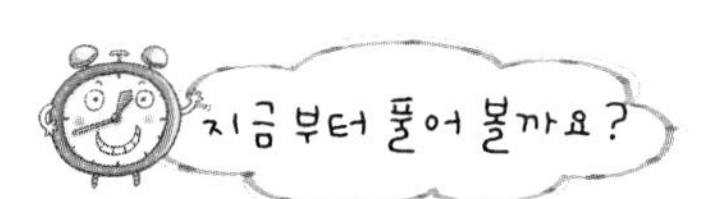

1

$5-2=\square$

2

$6-4=\square$

3

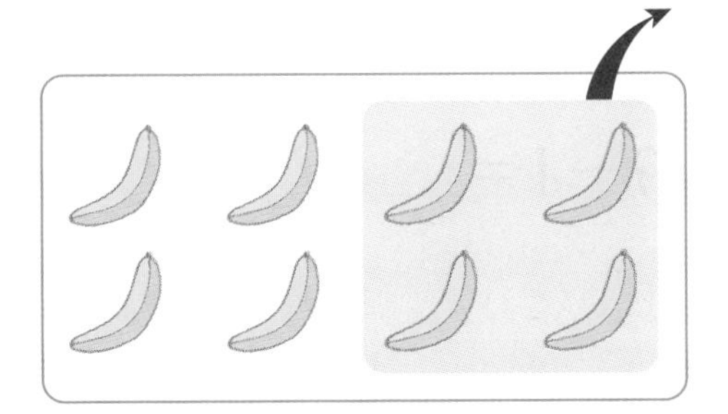

$8-4=\square$

4

$9-5=\square$

5 $3-1=$

6 $4-2=$

7 $4-3=$

8 $5-3=$

9 $5-4=$

10 $6-3=$

11 $6-5=$

12 $7-1=$

13 $7-4=$

14 $7-5=$

15 $8-2=$

16 $8-3=$

17 $8-6=$

18 $9-1=$

19 $9-4=$

20 $9-6=$

시간	1~2분	2~3분	3~4분	점수 A + 점수 B	8~10점	5~7점	1~4점
점수 A	5	3	1				
맞은 개수	17~20개	12~16개	1~11개		참 잘했어요	잘했어요	좀더 노력하세요
점수 B	5	3	1				

핵심 2-1 10에서 빼기 (1)

우산 10개에서 3개를 빼었더니 7개가 남았습니다.

$10-3=7$

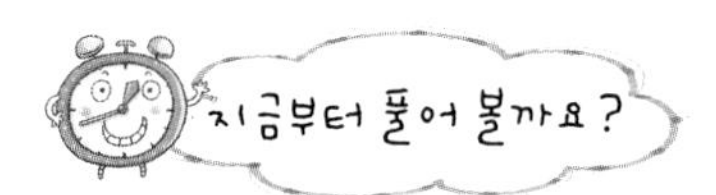

1

$10-2=\square$

2

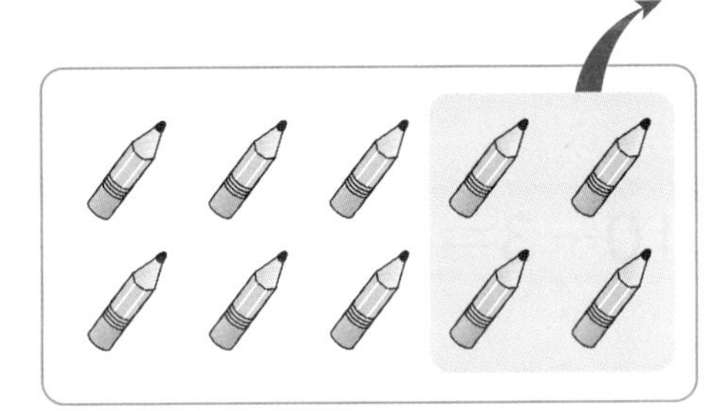

$10-4=\square$

3

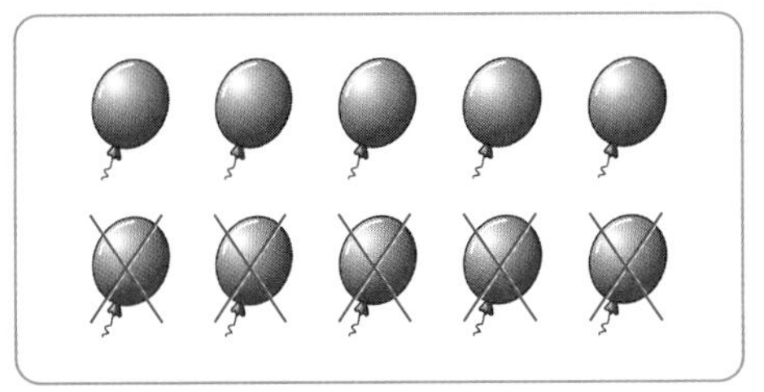

$10-5=\square$

4

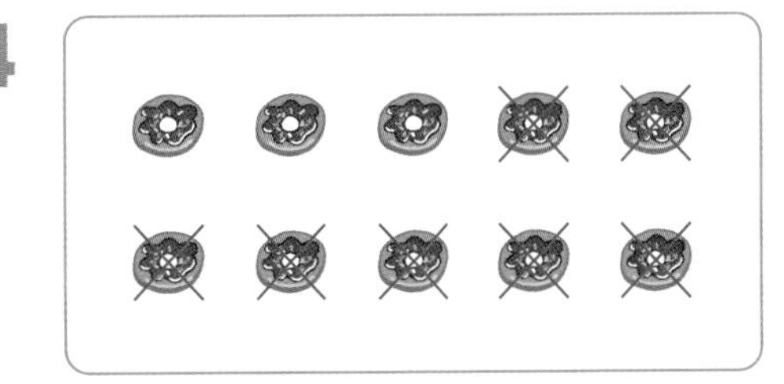

$10-7=\square$

5 $10-1=$

6 $10-3=$

7 $10-4=$

8 $10-5=$

9 $10-7=$

10 $10-2=$

11 $10-8=$

12 $10-4=$

13 $10-3=$

14 $10-9=$

15 $10-1=$

16 $10-6=$

17 $10-2=$

18 $10-4=$

19 $10-5=$

20 $10-10=$

시간	1~2분	2~3분	3~4분	점수A + 점수B	8~10점	5~7점	1~4점
점수 A	5	3	1				
맞은 개수	16~18개	11~15개	1~10개		참 잘했어요	잘했어요	좀더 노력하세요
점수 B	5	3	1				

핵심 2-2 10에서 빼기 (2)

모자 10개에서 4개를 빼면 6개가 남습니다.

10－[4]＝6

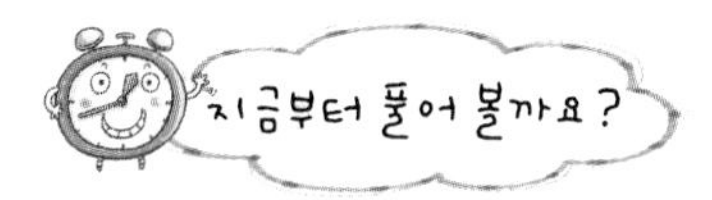

1

10－☐＝7

2

10－☐＝5

3

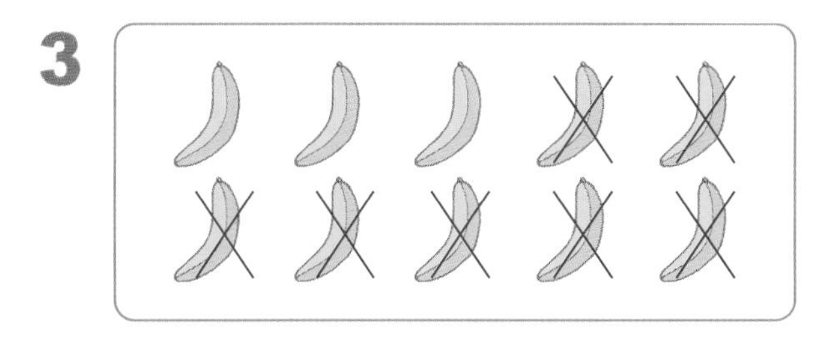

10－☐＝3

4

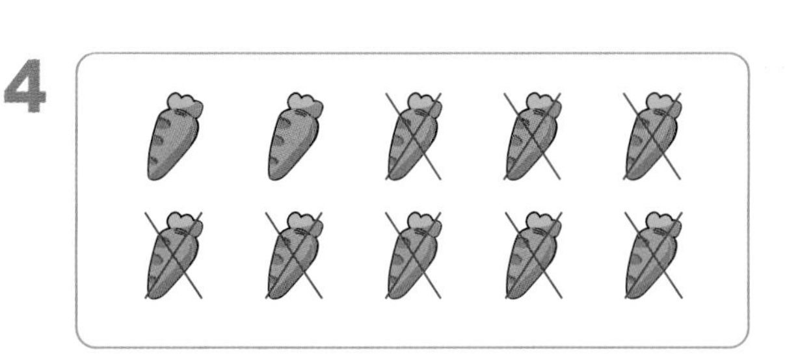

10－☐＝2

5 $10-\square=9$

6 $10-\square=7$

7 $10-\square=8$

8 $10-\square=5$

9 $10-\square=6$

10 $10-\square=4$

11 $10-\square=2$

12 $10-\square=10$

13 $10-\square=7$

14 $10-\square=1$

15 $10-\square=5$

16 $10-\square=8$

17 $10-\square=3$

18 $10-\square=0$

시간	1~3분	3~4분	4~5분	점수A + 점수B	8~10점	5~7점	1~4점
점수 A	5	3	1				
맞은 개수	24~28개	17~23개	1~16개		참 잘했어요	잘했어요	좀더 노력하세요
점수 B	5	3	1				

핵심 3-1 받아내림이 없는 (몇십 몇)−(몇) ①

$$\begin{array}{r} 2\,5 \\ -\;\;\;4 \\ \hline \end{array} \Rightarrow \begin{array}{r} 2\,5 \\ -\;\;\;4 \\ \hline 1 \end{array} \Rightarrow \begin{array}{r} 2\,5 \\ -\;\;\;4 \\ \hline 2\,1 \end{array}$$

낱개의 수끼리 빼서 낱개의 자리에 쓰고, 10개씩 묶음의 수는 그대로 내려 씁니다.

지금부터 풀어 볼까요?

1

$$\begin{array}{r} 1\,6 \\ -\;\;\;4 \\ \hline \end{array} \Rightarrow \begin{array}{r} 1\,6 \\ -\;\;\;4 \\ \hline \square \end{array} \Rightarrow \begin{array}{r} 1\,6 \\ -\;\;\;4 \\ \hline \square\,\square \end{array}$$

2

$$\begin{array}{r} 3\,7 \\ -\;\;\;5 \\ \hline \end{array} \Rightarrow \begin{array}{r} 3\,7 \\ -\;\;\;5 \\ \hline \square \end{array} \Rightarrow \begin{array}{r} 3\,7 \\ -\;\;\;5 \\ \hline \square\,\square \end{array}$$

3

$$\begin{array}{r} 2\,8 \\ -\;\;\;3 \\ \hline \square\,\square \end{array}$$

4

$$\begin{array}{r} 4\,9 \\ -\;\;\;7 \\ \hline \square\,\square \end{array}$$

5
$$\begin{array}{r} 14 \\ -\ \ 2 \\ \hline \end{array}$$

6
$$\begin{array}{r} 16 \\ -\ \ 5 \\ \hline \end{array}$$

7
$$\begin{array}{r} 18 \\ -\ \ 4 \\ \hline \end{array}$$

8
$$\begin{array}{r} 19 \\ -\ \ 7 \\ \hline \end{array}$$

9
$$\begin{array}{r} 26 \\ -\ \ 3 \\ \hline \end{array}$$

10
$$\begin{array}{r} 29 \\ -\ \ 5 \\ \hline \end{array}$$

11
$$\begin{array}{r} 34 \\ -\ \ 2 \\ \hline \end{array}$$

12
$$\begin{array}{r} 38 \\ -\ \ 4 \\ \hline \end{array}$$

13
$$\begin{array}{r} 39 \\ -\ \ 6 \\ \hline \end{array}$$

14
$$\begin{array}{r} 42 \\ -\ \ 2 \\ \hline \end{array}$$

15
$$\begin{array}{r} 45 \\ -\ \ 3 \\ \hline \end{array}$$

16
$$\begin{array}{r} 47 \\ -\ \ 6 \\ \hline \end{array}$$

17
$$\begin{array}{r} 4\ 9 \\ -\quad 8 \\ \hline \end{array}$$

18
$$\begin{array}{r} 5\ 3 \\ -\quad 1 \\ \hline \end{array}$$

19
$$\begin{array}{r} 5\ 5 \\ -\quad 4 \\ \hline \end{array}$$

20
$$\begin{array}{r} 5\ 9 \\ -\quad 7 \\ \hline \end{array}$$

21
$$\begin{array}{r} 6\ 3 \\ -\quad 2 \\ \hline \end{array}$$

22
$$\begin{array}{r} 6\ 5 \\ -\quad 4 \\ \hline \end{array}$$

23
$$\begin{array}{r} 6\ 8 \\ -\quad 5 \\ \hline \end{array}$$

24
$$\begin{array}{r} 7\ 6 \\ -\quad 3 \\ \hline \end{array}$$

25
$$\begin{array}{r} 7\ 7 \\ -\quad 6 \\ \hline \end{array}$$

26
$$\begin{array}{r} 8\ 4 \\ -\quad 2 \\ \hline \end{array}$$

27
$$\begin{array}{r} 8\ 9 \\ -\quad 5 \\ \hline \end{array}$$

28
$$\begin{array}{r} 9\ 6 \\ -\quad 4 \\ \hline \end{array}$$

시간	1~3분	3~4분	4~5분	점수A + 점수B	8~10점	5~7점	1~4점
점수 A	5	3	1				
맞은 개수	17~20개	12~16개	1~11개		참 잘했어요	잘했어요	좀더 노력하세요
점수 B	5	3	1				

핵심 3-2 받아내림이 없는 (몇십 몇)−(몇) ②

$37-4=\boxed{33}$ ➡ $\begin{array}{r} 37 \\ -\ \ 4 \\ \hline \boxed{33} \end{array}$

지금부터 풀어 볼까요?

1 $12-1=\square$ ➡ $\begin{array}{r} 12 \\ -\ \ 1 \\ \hline \square \end{array}$

2 $15-2=\square$ ➡ $\begin{array}{r} 15 \\ -\ \ 2 \\ \hline \square \end{array}$

3 $23-2=\square$ ➡ $\begin{array}{r} 23 \\ -\ \ 2 \\ \hline \square \end{array}$

4 $36-3=\square$ ➡ $\begin{array}{r} 36 \\ -\ \ 3 \\ \hline \square \end{array}$

5 $47-5=\square$ ➡ $\begin{array}{r} 47 \\ -\ \ 5 \\ \hline \square \end{array}$

6 $79-7=\square$ ➡ $\begin{array}{r} 79 \\ -\ \ 7 \\ \hline \square \end{array}$

7 $14-3=$

8 $16-2=$

9 $24-3=$

10 $27-4=$

11 $38-5=$

12 $48-7=$

13 $49-6=$

14 $55-3=$

15 $57-5=$

16 $68-4=$

17 $79-8=$

18 $86-5=$

19 $87-2=$

20 $96-6=$

시간	1~2분	2~3분	3~4분	점수 A + 점수 B	8~10점	5~7점	1~4점
점수 A	5	3	1				
맞은 개수	15~17개	10~14개	1~9개		참 잘했어요	잘했어요	좀더 노력하세요
점수 B	5	3	1				

핵심 3-3 받아내림이 없는 (몇십) − (몇십) ①

$$\begin{array}{r} 50 \\ -\ 10 \\ \hline \end{array} \Rightarrow \begin{array}{r} 50 \\ -\ 10 \\ \hline 0 \end{array} \Rightarrow \begin{array}{r} 50 \\ -\ 10 \\ \hline 40 \end{array}$$

낱개의 수끼리 빼서 낱개의 자리에 쓰고, 10개씩 묶음의 수끼리 빼서 10개씩 묶음의 자리에 씁니다.

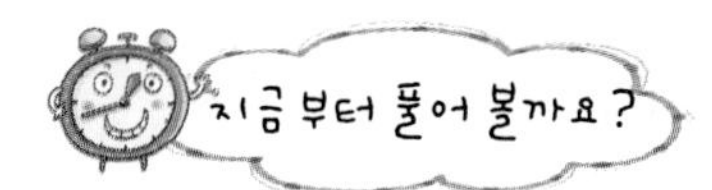

1
$$\begin{array}{r} 40 \\ -\ 30 \\ \hline \end{array} \Rightarrow \begin{array}{r} 40 \\ -\ 30 \\ \hline \square \end{array} \Rightarrow \begin{array}{r} 40 \\ -\ 30 \\ \hline \square\square \end{array}$$

2
$$\begin{array}{r} 30 \\ -\ 10 \\ \hline \square\square \end{array}$$

3
$$\begin{array}{r} 50 \\ -\ 20 \\ \hline \square\square \end{array}$$

4
$$\begin{array}{r} 60 \\ -\ 30 \\ \hline \square\square \end{array}$$

5
$$\begin{array}{r} 70 \\ -\ 40 \\ \hline \square\square \end{array}$$

6
$$\begin{array}{r} 20 \\ -\ 10 \\ \hline \end{array}$$

7
$$\begin{array}{r} 30 \\ -\ 20 \\ \hline \end{array}$$

8
$$\begin{array}{r} 40 \\ -\ 20 \\ \hline \end{array}$$

9
$$\begin{array}{r} 50 \\ -\ 30 \\ \hline \end{array}$$

10
$$\begin{array}{r} 60 \\ -\ 20 \\ \hline \end{array}$$

11
$$\begin{array}{r} 60 \\ -\ 40 \\ \hline \end{array}$$

12
$$\begin{array}{r} 70 \\ -\ 30 \\ \hline \end{array}$$

13
$$\begin{array}{r} 70 \\ -\ 50 \\ \hline \end{array}$$

14
$$\begin{array}{r} 80 \\ -\ 30 \\ \hline \end{array}$$

15
$$\begin{array}{r} 80 \\ -\ 40 \\ \hline \end{array}$$

16
$$\begin{array}{r} 90 \\ -\ 40 \\ \hline \end{array}$$

17
$$\begin{array}{r} 90 \\ -\ 70 \\ \hline \end{array}$$

시간	1~2분	2~3분	3~4분	점수A + 점수B	8~10점	5~7점	1~4점
점수 A	5	3	1				
맞은 개수	19~22개	14~18개	1~13개		참 잘했어요	잘했어요	좀더 노력하세요
점수 B	5	3	1				

핵심 3-4 받아내림이 없는 (몇십) − (몇십) ②

30 − 10 = [20] → 30 − 10 = 20

지금부터 풀어 볼까요?

1 20 − 10 = ☐ → 20 − 10 = ☐

2 40 − 20 = ☐ → 40 − 20 = ☐

3 50 − 40 = ☐ → 50 − 40 = ☐

4 60 − 30 = ☐ → 60 − 30 = ☐

5 70 − 40 = ☐ → 70 − 40 = ☐

6 90 − 50 = ☐ → 90 − 50 = ☐

7 $30-20=$

8 $40-10=$

9 $40-30=$

10 $50-20=$

11 $50-30=$

12 $60-10=$

13 $60-20=$

14 $60-50=$

15 $70-10=$

16 $70-30=$

17 $70-60=$

18 $80-20=$

19 $80-50=$

20 $80-60=$

21 $90-20=$

22 $90-60=$

시간	1~3분	3~4분	4~5분	점수 A + 점수 B	8~10점	5~7점	1~4점
점수 A	5	3	1				
맞은 개수	26~30개	18~25개	1~17개		참 잘했어요	잘했어요	좀더 노력하세요
점수 B	5	3	1				

핵심 3-5 받아내림이 없는 (몇십 몇)－(몇십 몇) ①

$$\begin{array}{r} 37 \\ -14 \\ \hline \end{array} \Rightarrow \begin{array}{r} 37 \\ -14 \\ \hline 3 \end{array} \Rightarrow \begin{array}{r} 37 \\ -14 \\ \hline 23 \end{array}$$

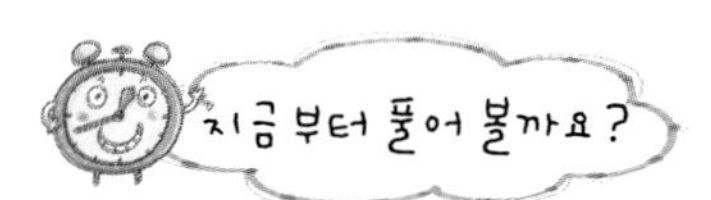

1

$$\begin{array}{r} 25 \\ -11 \\ \hline \end{array} \Rightarrow \begin{array}{r} 25 \\ -11 \\ \hline \square \end{array} \Rightarrow \begin{array}{r} 25 \\ -11 \\ \hline \square\square \end{array}$$

2

$$\begin{array}{r} 39 \\ -20 \\ \hline \end{array} \Rightarrow \begin{array}{r} 39 \\ -20 \\ \hline \square \end{array} \Rightarrow \begin{array}{r} 39 \\ -20 \\ \hline \square\square \end{array}$$

3

$$\begin{array}{r} 46 \\ -32 \\ \hline \square\square \end{array}$$

4

$$\begin{array}{r} 56 \\ -34 \\ \hline \square\square \end{array}$$

5

$$\begin{array}{r} 59 \\ -40 \\ \hline \square\square \end{array}$$

6

$$\begin{array}{r} 63 \\ -52 \\ \hline \square\square \end{array}$$

7

$$\begin{array}{r} 24 \\ -12 \\ \hline \end{array}$$

8

$$\begin{array}{r} 25 \\ -13 \\ \hline \end{array}$$

9

$$\begin{array}{r} 28 \\ -15 \\ \hline \end{array}$$

10

$$\begin{array}{r} 33 \\ -11 \\ \hline \end{array}$$

11

$$\begin{array}{r} 36 \\ -20 \\ \hline \end{array}$$

12

$$\begin{array}{r} 37 \\ -22 \\ \hline \end{array}$$

13

$$\begin{array}{r} 39 \\ -28 \\ \hline \end{array}$$

14

$$\begin{array}{r} 42 \\ -21 \\ \hline \end{array}$$

15

$$\begin{array}{r} 45 \\ -23 \\ \hline \end{array}$$

16

$$\begin{array}{r} 48 \\ -37 \\ \hline \end{array}$$

17

$$\begin{array}{r} 53 \\ -32 \\ \hline \end{array}$$

18

$$\begin{array}{r} 57 \\ -40 \\ \hline \end{array}$$

19
$$\begin{array}{r} 54 \\ -21 \\ \hline \end{array}$$

20
$$\begin{array}{r} 62 \\ -11 \\ \hline \end{array}$$

21
$$\begin{array}{r} 65 \\ -23 \\ \hline \end{array}$$

22
$$\begin{array}{r} 67 \\ -33 \\ \hline \end{array}$$

23
$$\begin{array}{r} 68 \\ -42 \\ \hline \end{array}$$

24
$$\begin{array}{r} 73 \\ -12 \\ \hline \end{array}$$

25
$$\begin{array}{r} 76 \\ -15 \\ \hline \end{array}$$

26
$$\begin{array}{r} 77 \\ -20 \\ \hline \end{array}$$

27
$$\begin{array}{r} 79 \\ -38 \\ \hline \end{array}$$

28
$$\begin{array}{r} 84 \\ -32 \\ \hline \end{array}$$

29
$$\begin{array}{r} 85 \\ -44 \\ \hline \end{array}$$

30
$$\begin{array}{r} 89 \\ -56 \\ \hline \end{array}$$

시간	1~3분	3~4분	4~5분	점수A + 점수B	8~10점	5~7점	1~4점
점수 A	5	3	1				
맞은 개수	17~20개	12~16개	1~11개		참 잘했어요	잘했어요	좀더 노력하세요
점수 B	5	3	1				

핵심 3-6 받아내림이 없는 (몇십 몇)−(몇십 몇) ②

$48-23=\boxed{25}$ ➡ $\begin{array}{r} 48 \\ -\ 23 \\ \hline \boxed{25} \end{array}$

지금부터 풀어 볼까요?

1 $26-14=\square$ ➡ $\begin{array}{r} 26 \\ -\ 14 \\ \hline \square \end{array}$

2 $29-16=\square$ ➡ $\begin{array}{r} 29 \\ -\ 16 \\ \hline \square \end{array}$

3 $34-20=\square$ ➡ $\begin{array}{r} 34 \\ -\ 20 \\ \hline \square \end{array}$

4 $43-21=\square$ ➡ $\begin{array}{r} 43 \\ -\ 21 \\ \hline \square \end{array}$

5 $58-37=\square$ ➡ $\begin{array}{r} 58 \\ -\ 37 \\ \hline \square \end{array}$

6 $67-40=\square$ ➡ $\begin{array}{r} 67 \\ -\ 40 \\ \hline \square \end{array}$

7 $26-13=$

8 $35-14=$

9 $37-20=$

10 $43-12=$

11 $44-23=$

12 $48-26=$

13 $49-38=$

14 $53-21=$

15 $55-34=$

16 $64-21=$

17 $68-35=$

18 $69-50=$

19 $74-33=$

20 $89-46=$

시간	1~3분	3~4분	4~5분	점수A + 점수B	8~10점	5~7점	1~4점
점수 A	5	3	1				
맞은 개수	17~20개	12~16개	1~11개		참 잘했어요	잘했어요	좀더 노력하세요
점수 B	5	3	1				

핵심 4-1 받아내림이 있는 (십 몇)－(몇)①

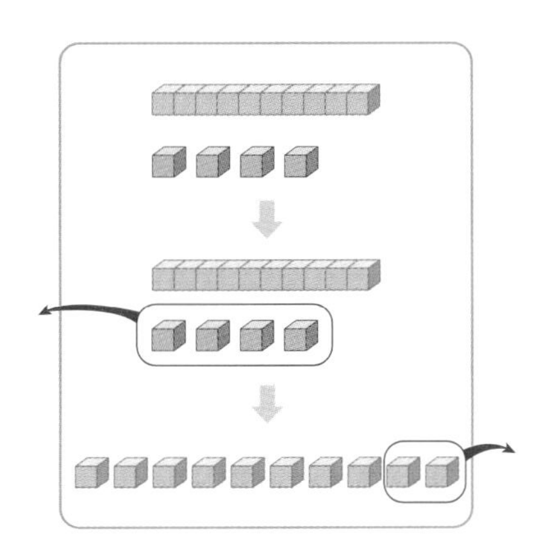

14－6

14－4－2

10－2＝ 8

6을 4와 2로 가르기 하여 계산합니다.

지금부터 풀어볼까요?

1 12－4

12－2－2

☐－2＝☐

2 15－7

15－5－2

☐－2＝☐

3 13－6

13－☐－3

☐－3＝☐

4 14－8

14－☐－4

☐－☐＝☐

5 $11-2=$

6 $12-3=$

7 $13-4=$

8 $11-5=$

9 $12-5=$

10 $14-5=$

11 $11-6=$

12 $13-5=$

13 $15-6=$

14 $11-7=$

15 $14-6=$

16 $16-7=$

17 $15-8=$

18 $17-8=$

19 $16-9=$

20 $18-9=$

시간	1~3분	3~4분	4~5분	점수 A + 점수 B	8~10점	5~7점	1~4점
점수 A	5	3	1				
맞은 개수	17~20개	12~16개	1~11개		참 잘했어요	잘했어요	좀더 노력하세요
점수 B	5	3	1				

핵심 4-2 받아내림이 있는 (십 몇)－(몇) ②

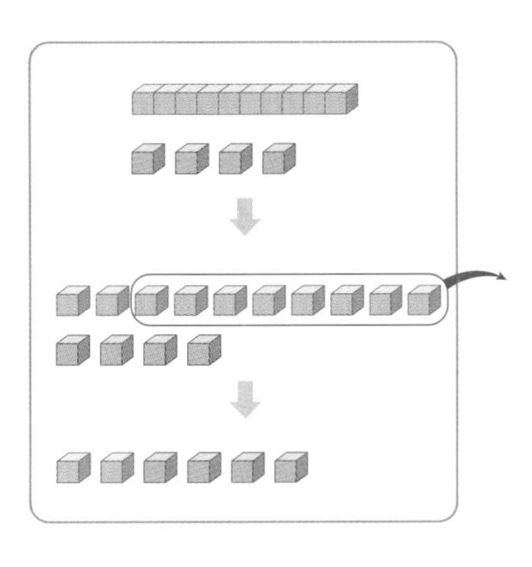

$14-8$

$10-8+4$

$2+4=$ 6

14를 10과 4로 가르기 하여 계산합니다.

지금부터 풀어 볼까요?

1 $12-6$

$10-6+2$

☐ $+2=$ ☐

2 $13-5$

$10-5+3$

☐ $+3=$ ☐

3 $15-7$

$10-7+$ ☐

☐ $+5=$ ☐

4 $17-9$

$10-9+$ ☐

☐ $+$ ☐ $=$ ☐

5 $11-3=$

6 $11-8=$

7 $12-4=$

8 $12-5=$

9 $12-7=$

10 $13-7=$

11 $13-8=$

12 $14-5=$

13 $14-7=$

14 $14-9=$

15 $15-6=$

16 $15-8=$

17 $16-7=$

18 $16-8=$

19 $16-9=$

20 $18-9=$

시간	1~3분	3~4분	4~5분	점수 A + 점수 B	8~10점	5~7점	1~4점
점수 A	5	3	1				
맞은 개수	16~18개	11~15개	1~10개		참 잘했어요	잘했어요	좀더 노력하세요
점수 B	5	3	1				

핵심 4-3 받아내림이 있는 (십 몇) — (몇) ③

$$\begin{array}{r} 13 \\ -\ \ 5 \\ \hline \end{array} \Rightarrow \begin{array}{r} 13 \\ -\ \ 5 \\ \hline 8 \end{array}$$

13을 10과 3으로 가르기 하여 10에서 5를 뺀 후 3을 더하면 8이 됩니다.
8을 낱개의 자리에 맞추어 씁니다.

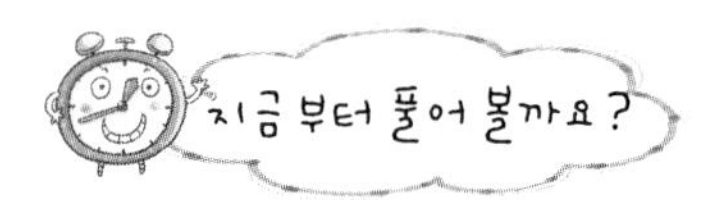

1 $\begin{array}{r} 11 \\ -\ \ 4 \\ \hline \square \end{array}$

2 $\begin{array}{r} 14 \\ -\ \ 6 \\ \hline \square \end{array}$

3 $\begin{array}{r} 15 \\ -\ \ 7 \\ \hline \square \end{array}$

4 $\begin{array}{r} 15 \\ -\ \ 9 \\ \hline \square \end{array}$

5 $\begin{array}{r} 17 \\ -\ \ 8 \\ \hline \square \end{array}$

6 $\begin{array}{r} 17 \\ -\ \ 9 \\ \hline \square \end{array}$

핵심 다지기

7
$$\begin{array}{r} 11 \\ -\ \ 3 \\ \hline \end{array}$$

8
$$\begin{array}{r} 11 \\ -\ \ 7 \\ \hline \end{array}$$

9
$$\begin{array}{r} 12 \\ -\ \ 4 \\ \hline \end{array}$$

10
$$\begin{array}{r} 12 \\ -\ \ 6 \\ \hline \end{array}$$

11
$$\begin{array}{r} 13 \\ -\ \ 5 \\ \hline \end{array}$$

12
$$\begin{array}{r} 13 \\ -\ \ 7 \\ \hline \end{array}$$

13
$$\begin{array}{r} 13 \\ -\ \ 8 \\ \hline \end{array}$$

14
$$\begin{array}{r} 14 \\ -\ \ 8 \\ \hline \end{array}$$

15
$$\begin{array}{r} 15 \\ -\ \ 6 \\ \hline \end{array}$$

16
$$\begin{array}{r} 15 \\ -\ \ 9 \\ \hline \end{array}$$

17
$$\begin{array}{r} 16 \\ -\ \ 9 \\ \hline \end{array}$$

18
$$\begin{array}{r} 18 \\ -\ \ 9 \\ \hline \end{array}$$

시간	1~3분	3~4분	4~5분	5~6분	6~7분	점수A + 점수B	9~10점	7~8점	1~6점
점수 A	5	4	3	2	1				
맞은 개수	18~20개	15~17개	12~14개	9~11개	1~8개		참 잘했어요	잘했어요	좀더 노력하세요
점수 B	5	4	3	2	1				

 뺄셈을 하시오. (1~20)

1 $6-2=$

2 $8-5=$

3 $10-4=$

4

$10-\square=8$

5 $10-\square=3$

6

$$\begin{array}{r} 1\,8 \\ -\quad 3 \\ \hline \end{array}$$

7

$$\begin{array}{r} 4\,6 \\ -\quad 5 \\ \hline \end{array}$$

8 $35-2=\square$

$$\begin{array}{r} 3\,5 \\ -\quad 2 \\ \hline \square \end{array}$$

9 $19-6=$

10 $57-4=$

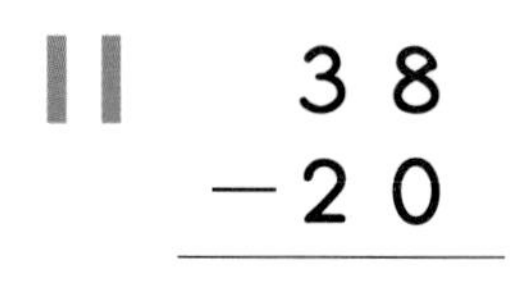

단원 마무리 평가

11

$$\begin{array}{r} 38 \\ -\ 20 \\ \hline \end{array}$$

12

$$\begin{array}{r} 55 \\ -\ 32 \\ \hline \end{array}$$

13 $29-14=\square$

$$\begin{array}{r} 29 \\ -\ 14 \\ \hline \square \end{array}$$

14 $43-20=$

15 $69-37=$

16 $12-8$

$12-\square-6$

$\square-6=\square$

17 $14-9$

$10-9+\square$

$\square+\square=\square$

18 $13-6=$

19 $14-8=$

20

$$\begin{array}{r} 16 \\ -\ \ 9 \\ \hline \end{array}$$

6

세 수의 계산

핵심 1 세 수의 계산 (1)

$3 + 1 + 2 = 6$ ($3 + 1 = 4$, $4 + 2 = 6$)

$$\begin{array}{r} 3 \\ +\ 1 \\ \hline 4 \end{array} \rightarrow \begin{array}{r} 4 \\ +\ 2 \\ \hline 6 \end{array}$$

핵심 2 두 수의 합이 10이 되는 세 수의 덧셈

합이 10이 되는 두 수를 찾아 먼저 더한 다음, 나머지 수를 더합니다.

$4 + 6 + 2$ → $10 + 2 = 12$

$3 + 5 + 5$ → $3 + 10 = 13$

합이 10인 두 수
$1+9=10$
$2+8=10$
$3+7=10$
$4+6=10$
$5+5=10$
$6+4=10$
$7+3=10$
$8+2=10$
$9+1=10$

핵심 3 세 수의 계산 (2)

• 받아올림이 있는 세 수의 덧셈

$7 + 5 + 1$ → $12 + 1 = 13$

$$\begin{array}{r} 7 \\ +\ 5 \\ \hline 12 \end{array} \rightarrow \begin{array}{r} 12 \\ +\ 1 \\ \hline 13 \end{array}$$

• 받아내림이 있는 세 수의 뺄셈

$12 - 3 - 2$ → $9 - 2 = 7$

$$\begin{array}{r} 12 \\ -\ 3 \\ \hline 9 \end{array} \rightarrow \begin{array}{r} 9 \\ -\ 2 \\ \hline 7 \end{array}$$

• 받아올림 또는 받아내림이 있는 세 수의 계산

$14 - 6 + 1$ → $8 + 1 = 9$

$$\begin{array}{r} 14 \\ -\ 6 \\ \hline 8 \end{array} \rightarrow \begin{array}{r} 8 \\ +\ 1 \\ \hline 9 \end{array}$$

계산 순서를 바꾸면 답이 달라질 수도 있으므로 앞에서부터 두 수씩 차례로 계산합니다.
$12-3-2$ → $12-1=11$ (×)

핵심 다지기

시간	1~4분	4~5분	5~6분	점수A + 점수B	8~10점	5~7점	1~4점
점수 A	5	3	1				
맞은 개수	22~26개	16~21개	1~15개		참 잘했어요	잘했어요	좀더 노력하세요
점수 B	5	3	1				

핵심 1-1 받아올림이 없는 세 수의 덧셈

$3+2+1=6$

($3+2=5$, $5+1=6$)

3에 2를 먼저 더한 후, 1을 더합니다.

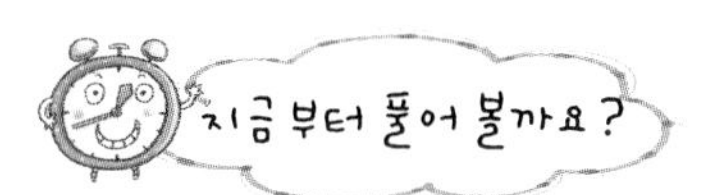

1

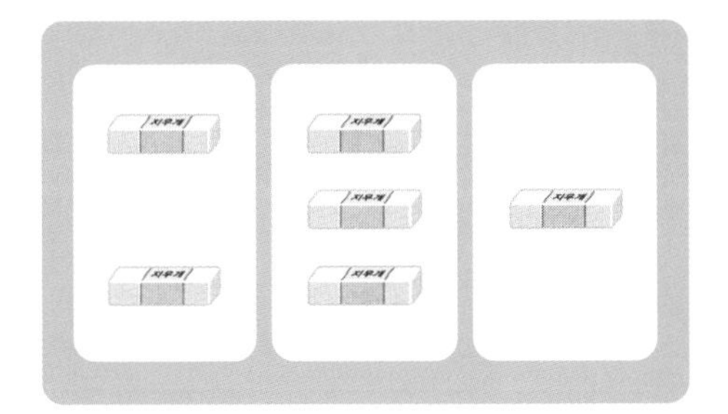

$2+3+1=\square$

2

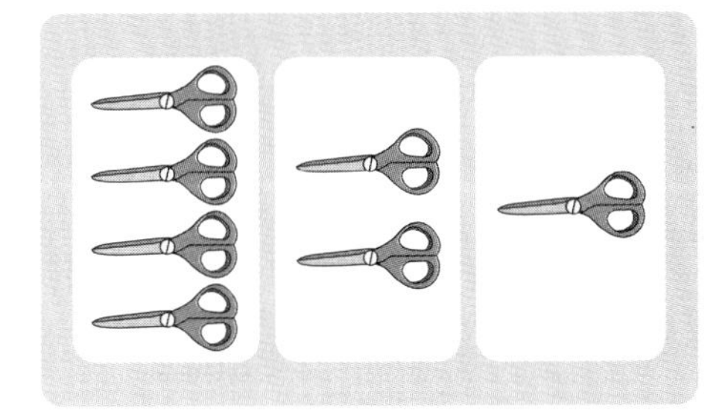

$4+2+1=\square$

3

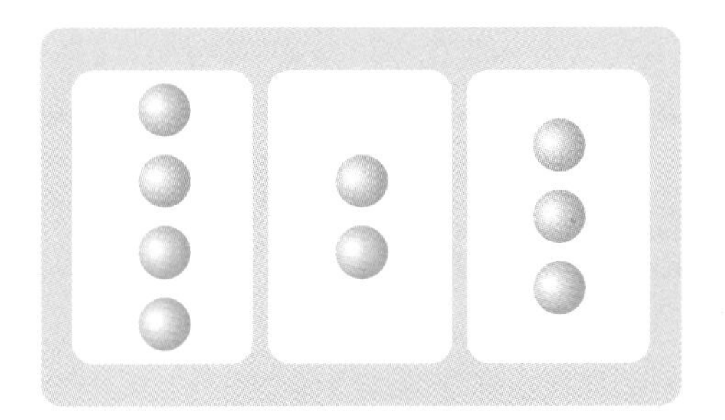

$4+2+3=\square$

4

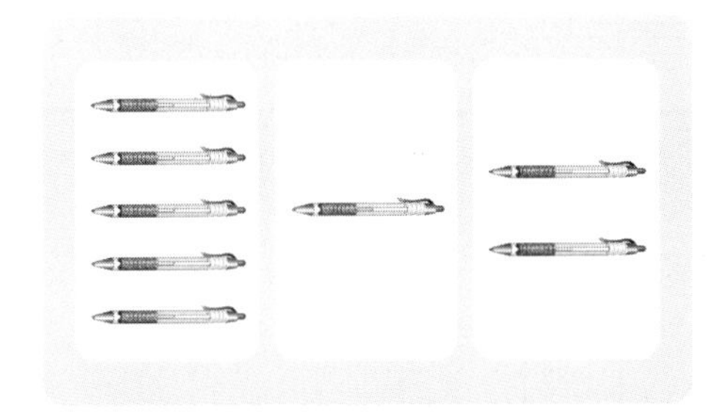

$5+1+2=\square$

5 $2 + 1 + 1 = \square$

6 $2 + 4 + 3 = \square$

7 $3 + 2 + 3 = \square$

8 $3 + 2 + 2 = \square$

9 $4 + 3 + 1 = \square$

10 $5 + 1 + 3 = \square$

11 $6 + 2 + 1 = \square$

12 $7 + 1 + 1 = \square$

13 $2+2+1=$

14 $2+1+2=$

15 $2+5+2=$

16 $2+4+2=$

17 $2+3+3=$

18 $3+3+2=$

19 $3+4+2=$

20 $4+1+2=$

21 $4+2+2=$

22 $4+3+2=$

23 $5+1+1=$

24 $5+2+1=$

25 $5+2+2=$

26 $6+1+2=$

시간	1~4분	4~5분	5~6분	점수A + 점수B	8~10점	5~7점	1~4점
점수A	5	3	1				
맞은 개수	22~26개	16~21개	1~15개		참 잘했어요	잘했어요	좀더 노력하세요
점수B	5	3	1				

핵심 1-2 받아올림과 받아내림이 없는 세 수의 계산

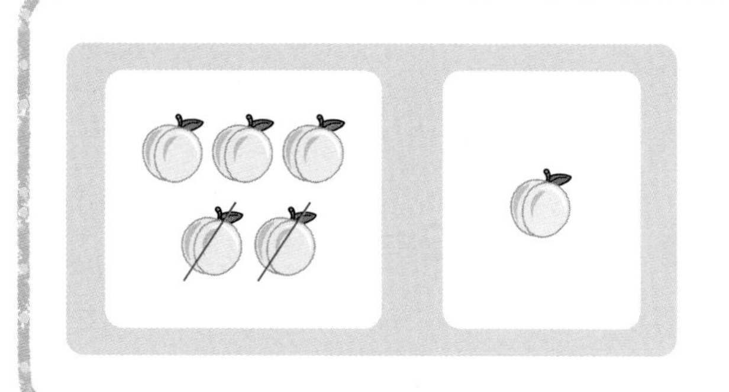

$5 - 2 + 1 = 4$

5에서 2를 먼저 뺀 후, 1을 더합니다.

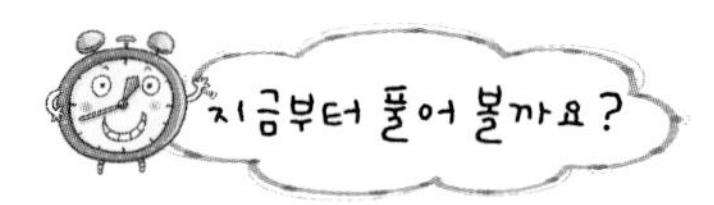

1

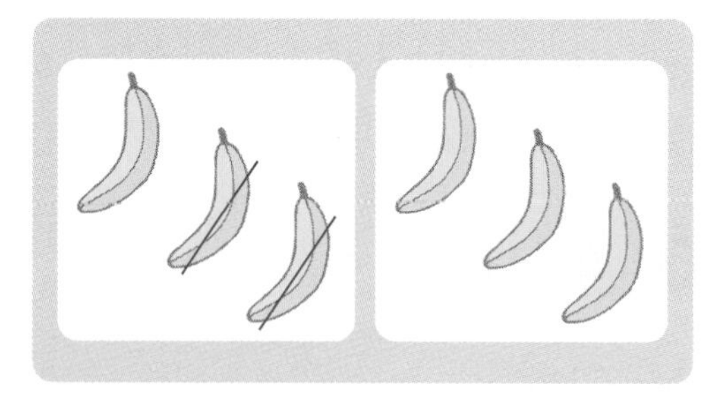

$3-2+3=\square$

2

$4-2+1=\square$

3

$6-2+4=\square$

4

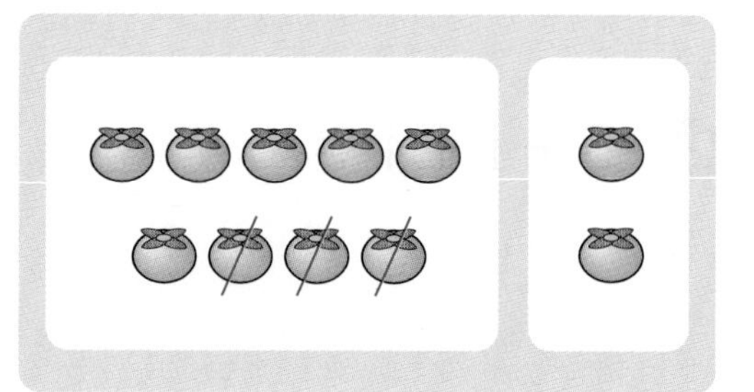

$9-3+2=\square$

5 $3 - 2 + 1 = \square$

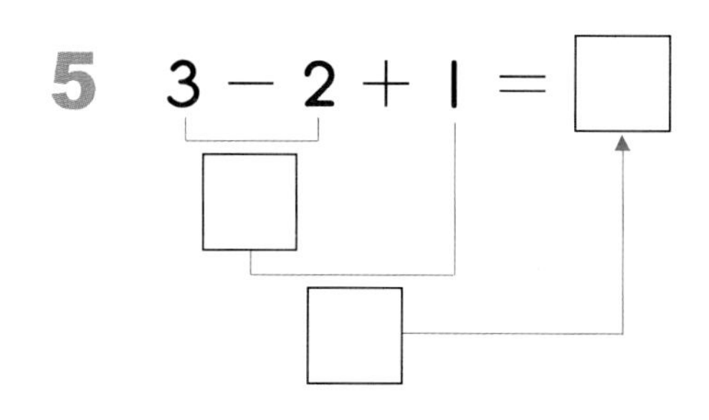

6 $4 - 1 + 2 = \square$

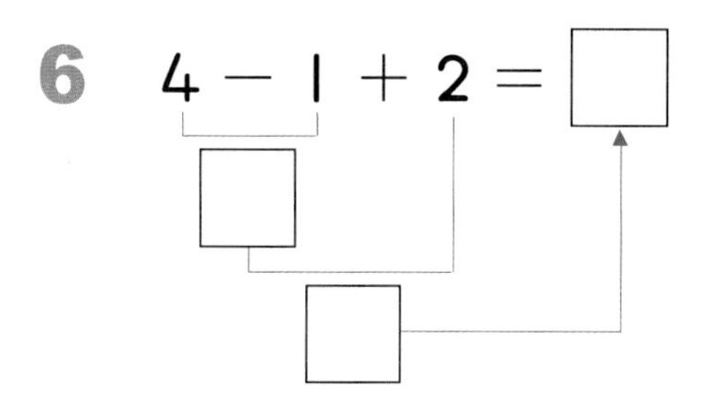

7 $5 - 1 + 3 = \square$

8 $6 - 5 + 4 = \square$

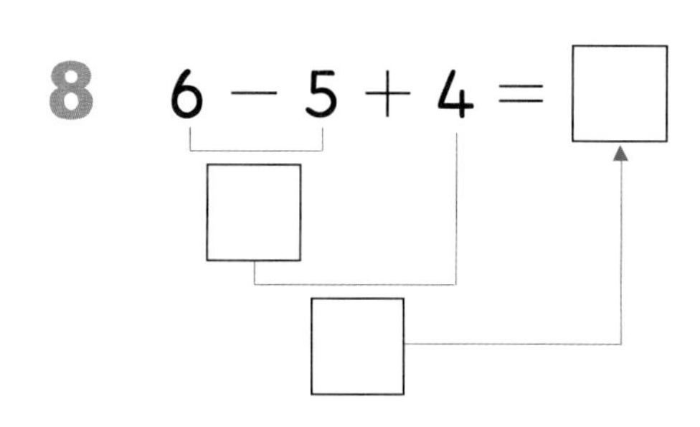

9 $4 + 1 - 2 = \square$

10 $6 + 3 - 4 = \square$

11 $7 + 2 - 3 = \square$

12 $8 + 1 - 5 = \square$

13 $3-1+2=$

14 $4-1+3=$

15 $6-1+3=$

16 $3-2+4=$

17 $6-5+3=$

18 $5-4+3=$

19 $8-4+1=$

20 $9-7+5=$

21 $3+1-2=$

22 $2+4-3=$

23 $3+4-1=$

24 $6+2-1=$

25 $3+5-4=$

26 $5+2-6=$

시간	1~4분	4~5분	5~6분	점수 A + 점수 B	8~10점	5~7점	1~4점
점수 A	5	3	1				
맞은 개수	22~26개	16~21개	1~15개		참 잘했어요	잘했어요	좀더 노력하세요
점수 B	5	3	1				

핵심 1-3 받아내림이 없는 세 수의 뺄셈

$$5 - 2 - 1 = 2$$

(5 − 2 → 3, 3 − 1 → 2)

5에서 2를 먼저 뺀 후, 1을 뺍니다.

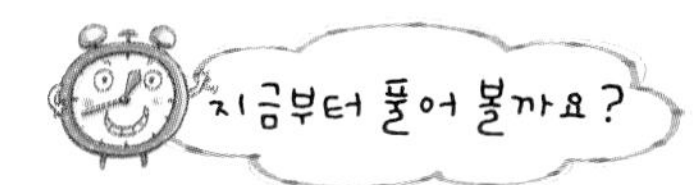

1

$4 - 2 - 1 = \square$

2

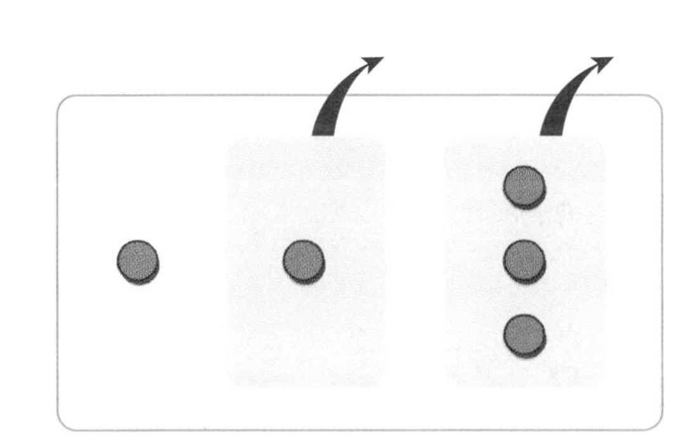

$5 - 1 - 3 = \square$

3

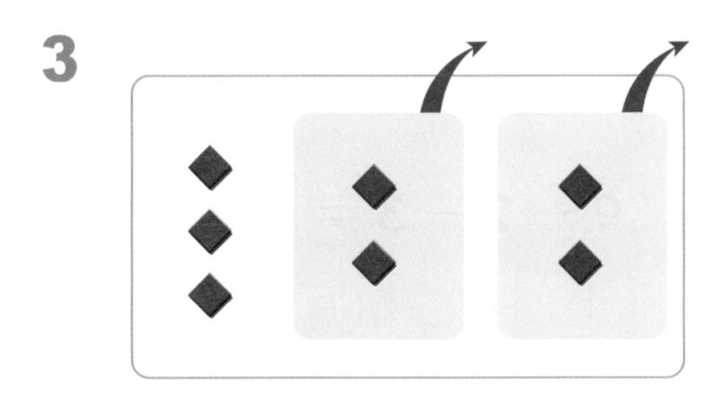

$7 - 2 - 2 = \square$

4

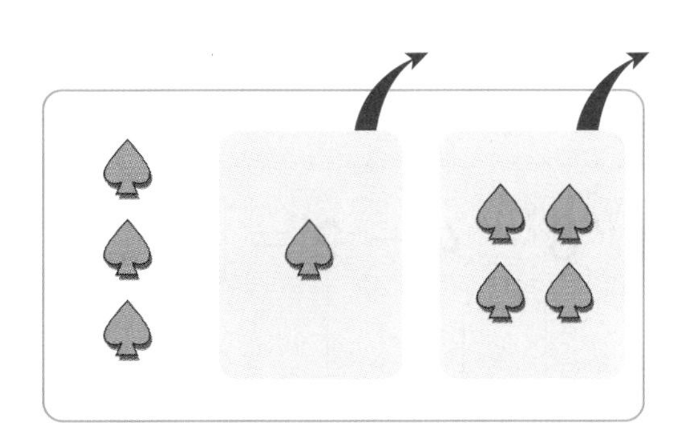

$8 - 1 - 4 = \square$

5 $4 - 1 - 1 = \square$

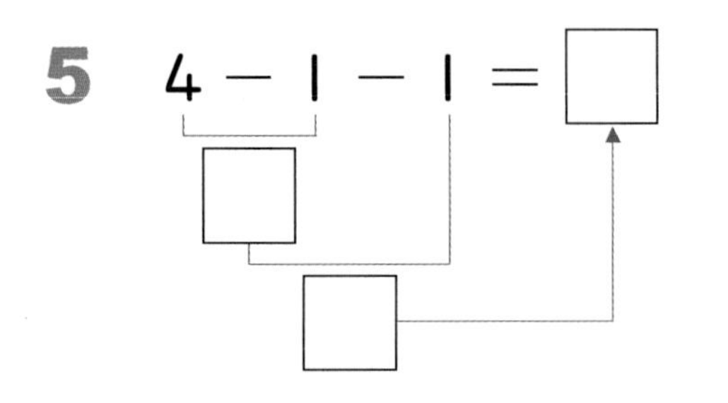

6 $5 - 2 - 1 = \square$

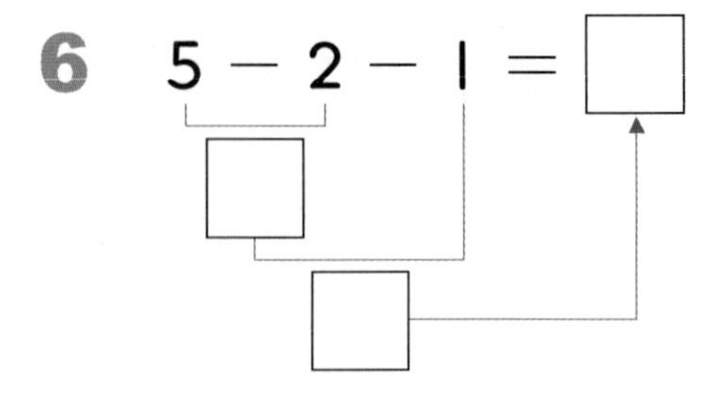

7 $6 - 1 - 3 = \square$

8 $7 - 3 - 2 = \square$

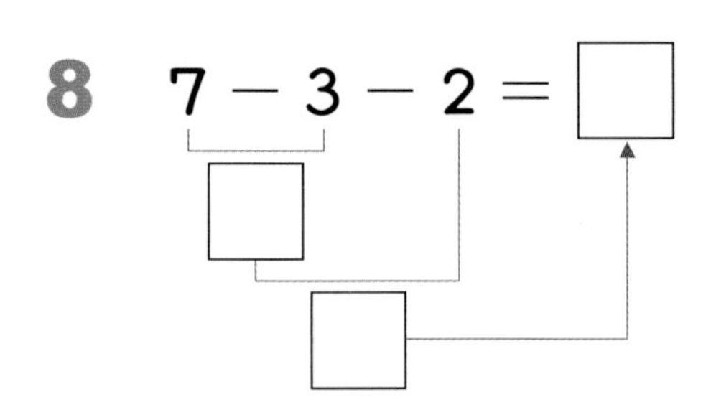

9 $7 - 2 - 4 = \square$

10 $8 - 3 - 1 = \square$

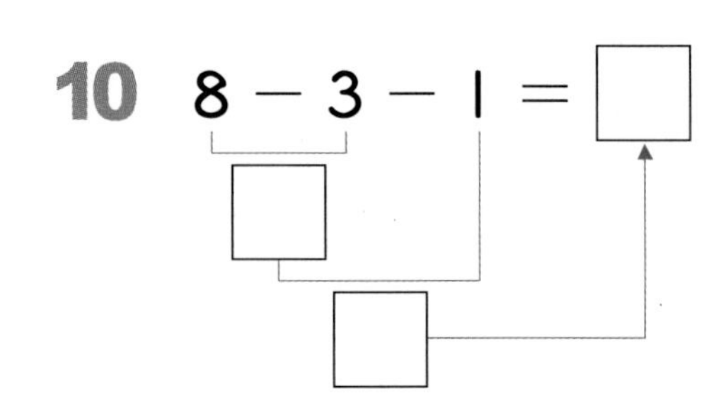

11 $8 - 4 - 2 = \square$

12 $9 - 2 - 3 = \square$

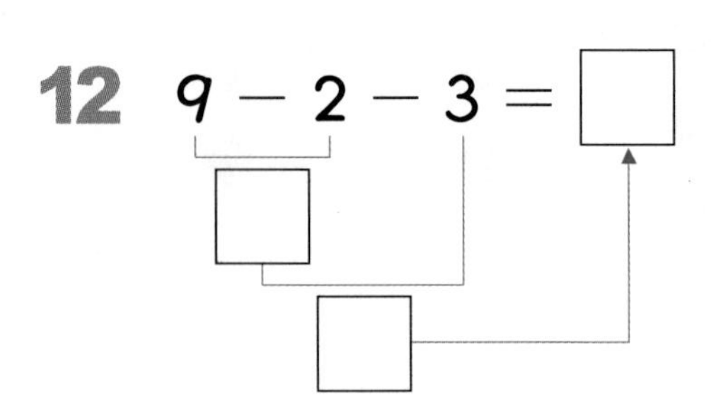

13 $3-1-1=$

14 $4-1-2=$

15 $5-1-2=$

16 $5-2-2=$

17 $6-2-1=$

18 $6-1-4=$

19 $6-3-2=$

20 $7-2-1=$

21 $7-1-5=$

22 $7-2-3=$

23 $8-2-1=$

24 $8-3-4=$

25 $9-3-2=$

26 $9-1-5=$

시간	1~3분	3~4분	4~5분	점수A + 점수B	8~10점	5~7점	1~4점
점수 A	5	3	1				
맞은 개수	17~20개	12~16개	1~11개		참 잘했어요	잘했어요	좀더 노력하세요
점수 B	5	3	1				

핵심 2 두 수의 합이 10이 되는 세 수의 덧셈

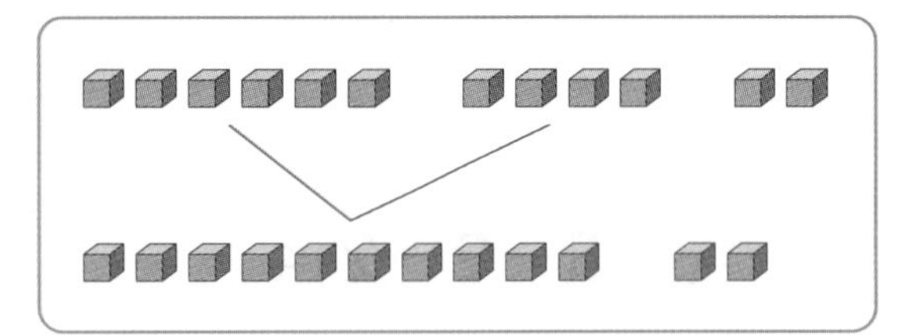

$6+4+2$

$10+2=12$

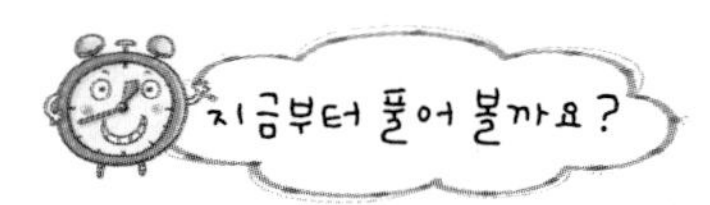

1 $2+8+3$

$\square+3=\square$

2 $3+7+6$

$\square+6=\square$

3 $6+4+9$

$\square+9=\square$

4 $1+8+2$

$1+\square=\square$

5 $8+7+3$

$8+\square=\square$

6 $4+3+7$

$4+\square=\square$

7 $4+6+1=$

8 $5+5+2=$

9 $6+4+3=$

10 $7+3+5=$

11 $9+1+8=$

12 $8+2+7=$

13 $1+9+4=$

14 $2+2+8=$

15 $3+1+9=$

16 $5+4+6=$

17 $4+7+3=$

18 $7+6+4=$

19 $6+8+2=$

20 $9+5+5=$

시간	1~4분	4~5분	5~6분	점수A + 점수B	8~10점	5~7점	1~4점
점수 A	5	3	1				
맞은 개수	22~26개	16~21개	1~15개		참 잘했어요	잘했어요	좀더 노력하세요
점수 B	5	3	1				

핵심 3-1 받아올림이 있는 세 수의 덧셈

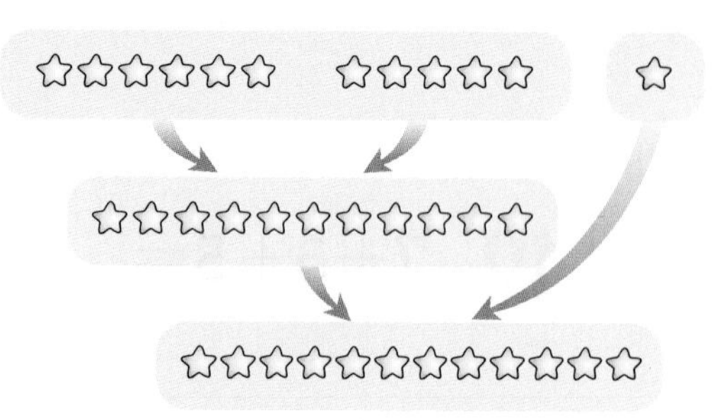

6+5+1

11+1=12

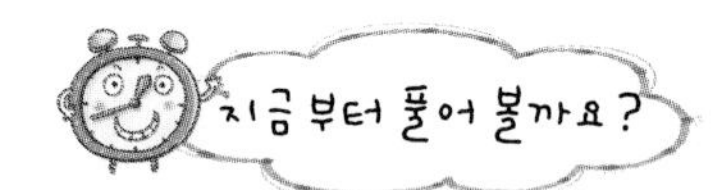

1

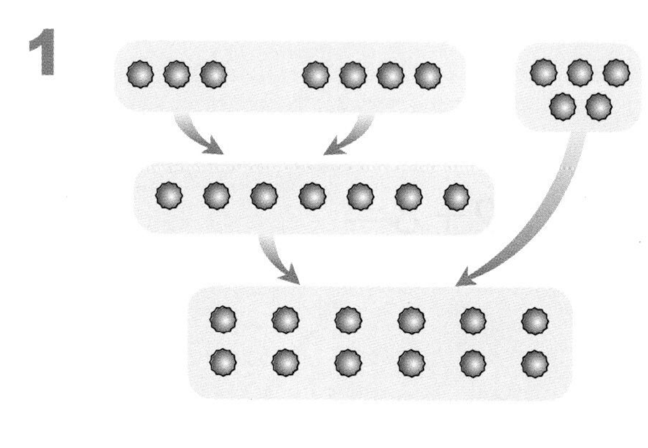

3+4+5=☐

2

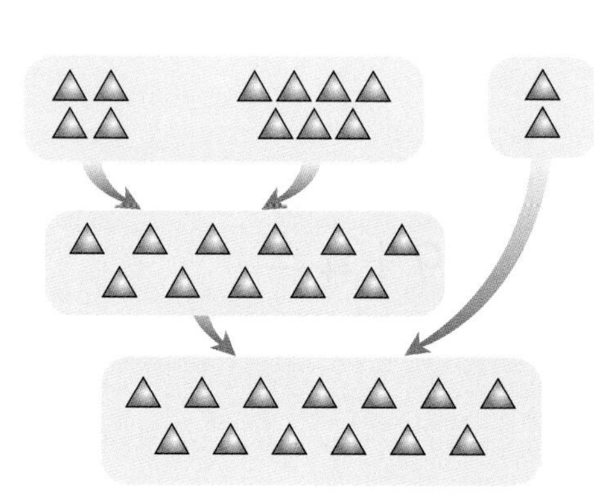

4+7+2=☐

3

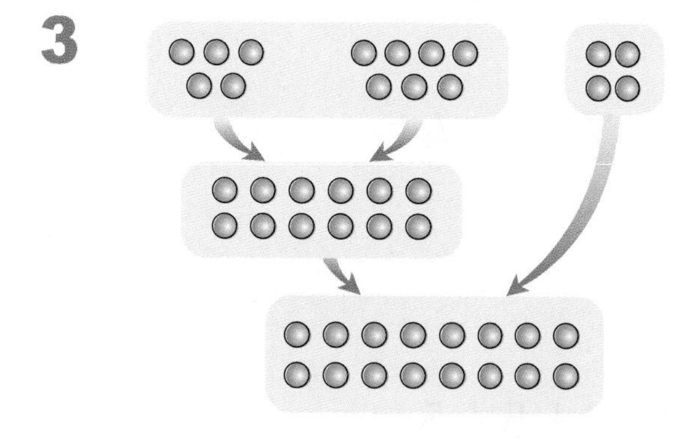

5+7+4=☐

4

8+3+2=☐

5 $2 + 9 + 1 = \square$

6 $3 + 5 + 3 = \square$

7 $4 + 7 + 6 = \square$

8 $5 + 4 + 4 = \square$

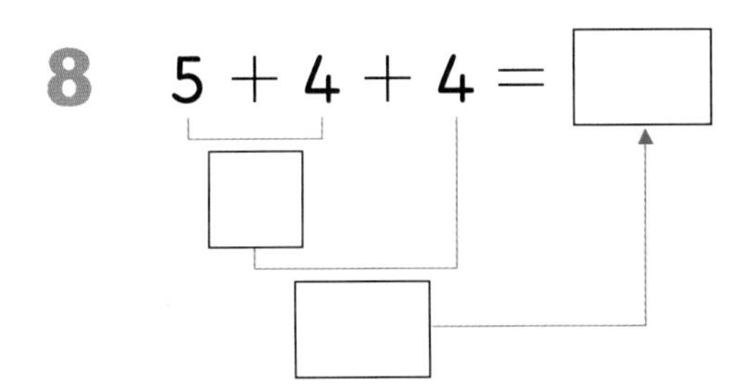

9 $6 + 5 + 7 = \square$

10 $7 + 5 + 4 = \square$

11 $8 + 3 + 4 = \square$

12 $9 + 6 + 2 = \square$

13 $2+5+4=$

14 $3+5+6=$

15 $3+6+3=$

16 $4+2+5=$

17 $4+7+3=$

18 $4+9+3=$

19 $5+8+4=$

20 $6+5+4=$

21 $9+2+3=$

22 $5+3+6=$

23 $4+7+4=$

24 $8+3+6=$

25 $7+5+6=$

26 $4+8+6=$

시간	1~4분	4~5분	5~6분	점수A + 점수B	8~10점	5~7점	1~4점
점수 A	5	3	1				
맞은 개수	22~26개	16~21개	1~15개		참 잘했어요	잘했어요	좀더 노력하세요
점수 B	5	3	1				

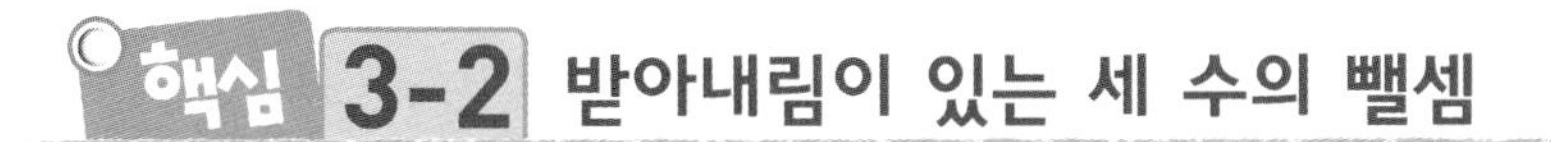

핵심 3-2 받아내림이 있는 세 수의 뺄셈

$11-2-3$

$9-3=6$

지금부터 풀어 볼까요?

1

$12-3-1=\square$

2

$14-6-3=\square$

3

$15-7-4=\square$

4

$18-9-5=\square$

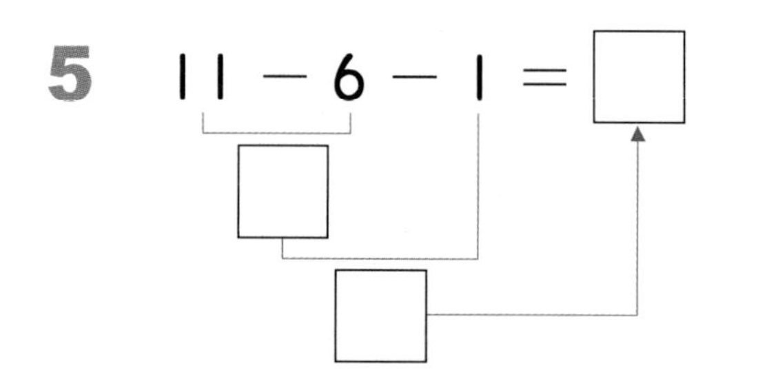

5 $11 - 6 - 1 = \square$

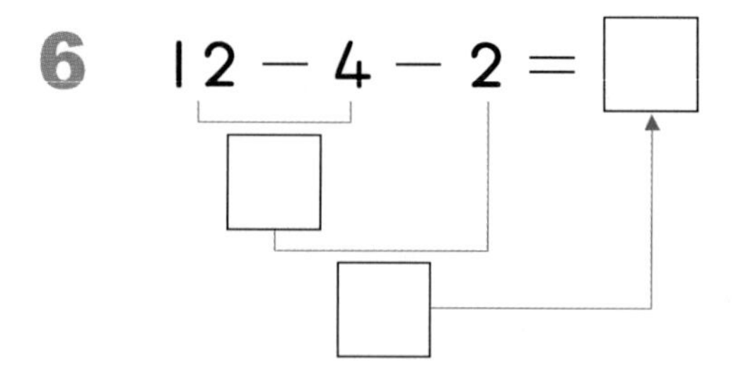

6 $12 - 4 - 2 = \square$

7 $13 - 5 - 3 = \square$

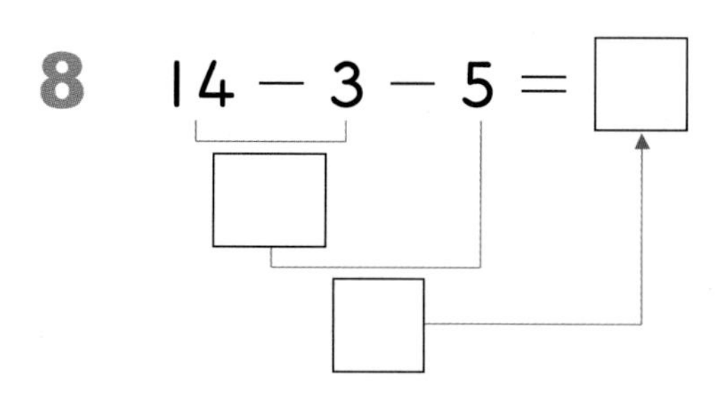

8 $14 - 3 - 5 = \square$

9 $15 - 7 - 3 = \square$

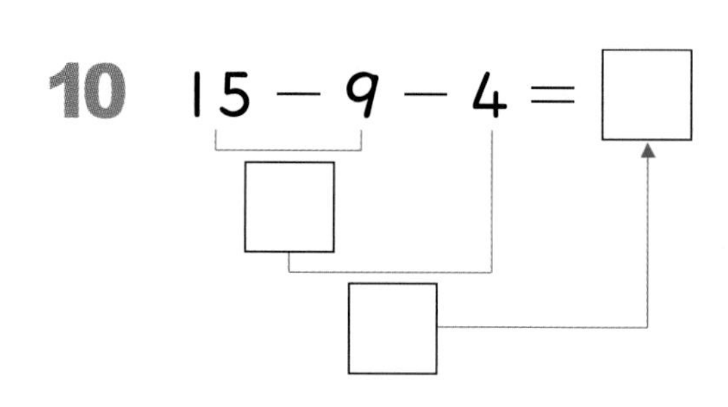

10 $15 - 9 - 4 = \square$

11 $16 - 4 - 6 = \square$

12 $18 - 9 - 7 = \square$

13 $12-3-2=$

14 $12-4-3=$

15 $13-5-4=$

16 $13-6-4=$

17 $13-7-5=$

18 $14-6-3=$

19 $14-9-4=$

20 $14-7-5=$

21 $15-4-3=$

22 $15-8-4=$

23 $16-7-5=$

24 $17-8-2=$

25 $17-9-6=$

26 $18-9-4=$

시간	1~4분	4~5분	5~6분	점수A + 점수B	8~10점	5~7점	1~4점
점수 A	5	3	1				
맞은 개수	22~26개	16~21개	1~15개		참 잘했어요	잘했어요	좀더 노력하세요
점수 B	5	3	1				

핵심 3-3 받아올림 또는 받아내림이 있는 세 수의 계산

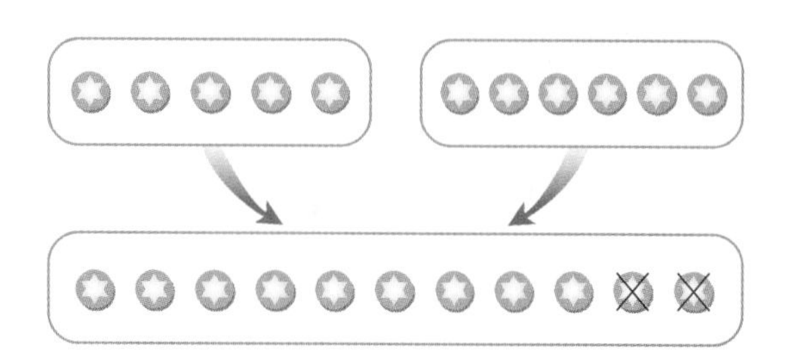

5+6−2

11−2=9

지금부터 풀어 볼까요?

1

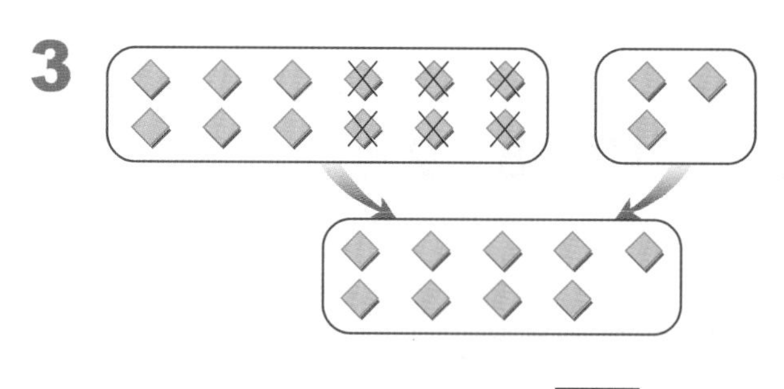

3+9−1=□

2

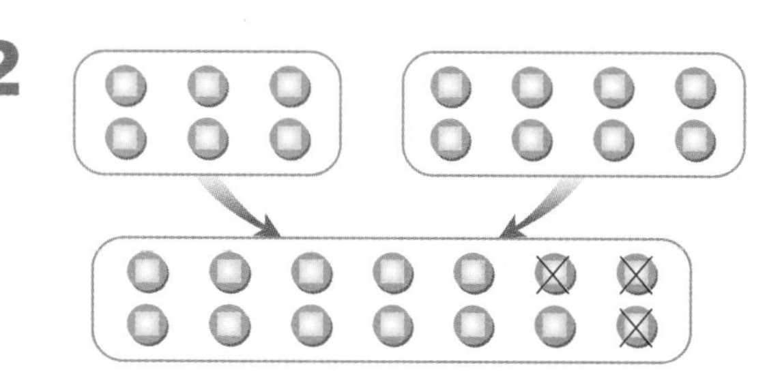

6+8−3=□

3

12−6+3=□

4

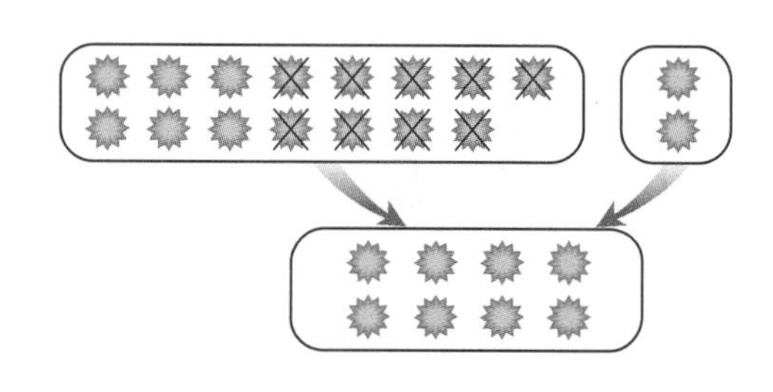

15−9+2=□

5 $4 + 9 - 2 = \square$

6 $5 + 9 - 2 = \square$

7 $7 + 8 - 4 = \square$

8 $8 + 9 - 5 = \square$

9 $13 - 8 + 4 = \square$

10 $14 - 7 + 1 = \square$

11 $16 - 9 + 1 = \square$

12 $17 - 9 + 1 = \square$

13 $3+9-2=$

14 $4+8-1=$

15 $5+8-3=$

16 $6+9-4=$

17 $7+9-5=$

18 $8+6-2=$

19 $12-8+1=$

20 $12-7+3=$

21 $13-8+2=$

22 $13-9+5=$

23 $14-6+1=$

24 $15-8+2=$

25 $15-9+3=$

26 $16-9+2=$

시간	1~4분	4~5분	5~6분	6~7분	7~8분	점수A + 점수B	9~10점	7~8점	1~6점
점수 A	5	4	3	2	1				
맞은 개수	18~20개	15~17개	12~14개	9~11개	1~8개		참 잘했어요	잘했어요	좀더 노력하세요
점수 B	5	4	3	2	1				

계산을 하시오. (1~20)

1

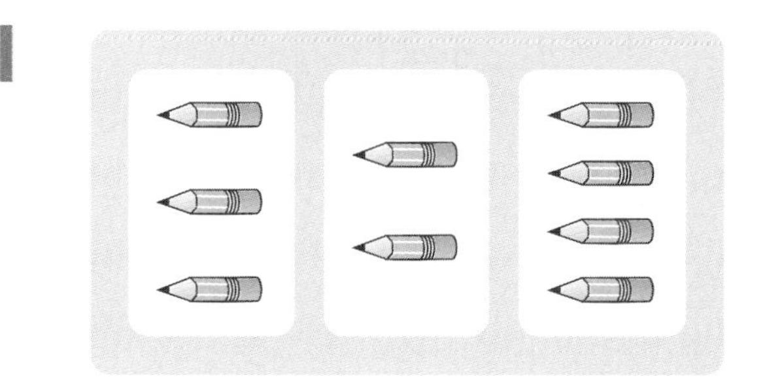

3+2+4=□

2 4 + 1 + 3 = □

□

□

3 1+5+3=

4

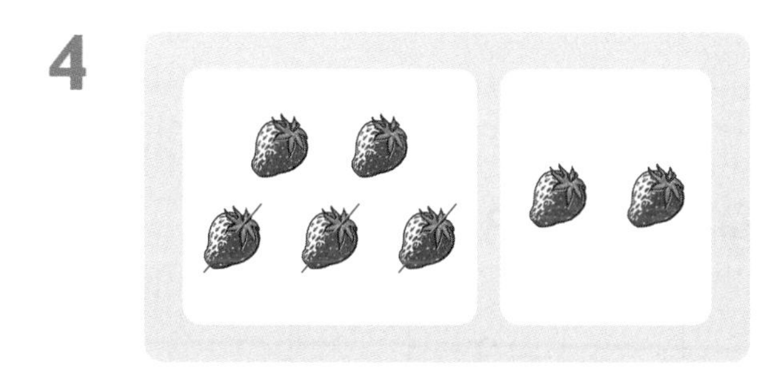

5−3+2=□

5 9−4+2=□

□

□

6 4+3−5=

7

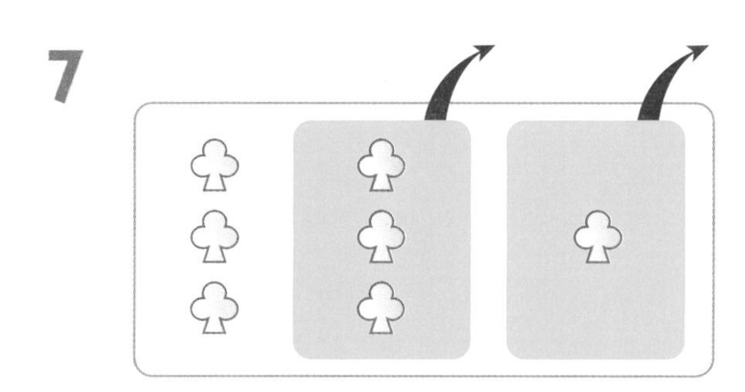

7−3−1=□

8 8 − 3 − 2 = □

□

□

9 7−4−2=

10 2+8+4

□+4=□

단원 마무리 평가

11 $7+4+6=$

12

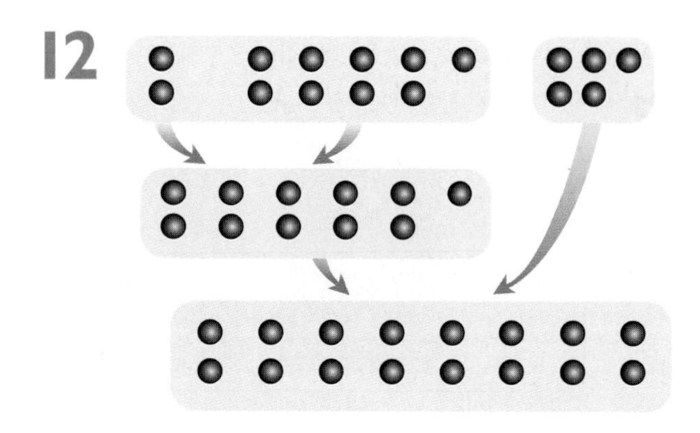

$2+9+5=$ □

13 $6+7+4$

□ $+4=$ □

14 $4+7+8=$

15

$15-8-3=$ □

16 $12-7-3$

□ $-3=$ □

17 $17-9-3=$

18

$4+9-2=$ □

19 $7+8-3$

□ $-3=$ □

20 $13-6+1=$

꼭 알아야 할

수와 연산

1 학년이 꼭 알아야 할

수와 연산

정답과 풀이

정답
1 학년

1 100까지의 수

핵심 1 (7~8쪽)

1 첫째, 셋째, 다섯째, 여덟째

2 넷째, 여섯째, 여덟째, 아홉째

3

다섯	●	●	●	●	●	○	○	○	○
다섯째	○	○	○	○	●	○	○	○	○

4

여섯	●	●	●	●	●	●	○	○	○
여섯째	○	○	○	○	○	●	○	○	○

5

아홉	★	★	★	★	★	★	★	★	★
아홉째	☆	☆	☆	☆	☆	☆	☆	☆	★

6

둘	◆	◆	◇	◇	◇	◇	◇	◇	◇
둘째	◇	◆	◇	◇	◇	◇	◇	◇	◇

7

일곱	●	●	●	●	●	●	●	○	○
일곱째	○	○	○	○	○	○	●	○	○

8

셋	▲	▲	▲	△	△	△	△	△	△
셋째	△	△	▲	△	△	△	△	△	△

9

여덟	●	●	●	●	●	●	●	●	○
여덟째	○	○	○	○	○	○	○	●	○

핵심 2 (9~10쪽)

1 14, 15
2 22, 25
3 34, 37
4 45, 49
5 65, 66, 69
6 78, 79, 80
7 84, 86, 88
8 91, 93, 94
9 66, 68, 69
10 80, 81, 83, 84
11 95, 96, 98, 100

핵심 3 (11~12쪽)

1 15
2 22
3 48
4 36
5 67
6 74
7 90
8 10
9 33
10 42
11 78
12 85
13 99

단원 마무리 평가 (13~14쪽)

1 둘째, 다섯째

2 첫째, 셋째, 다섯째

3 넷째, 일곱째

4

둘	♥	♥	♡	♡	♡	♡	♡	♡	♡
둘째	♡	♥	♡	♡	♡	♡	♡	♡	♡

5

넷	★	★	★	★	☆	☆	☆	☆	☆
넷째	☆	☆	☆	★	☆	☆	☆	☆	☆

6

다섯	◆◆◆◆◆◇◇◇◇◇
다섯째	◇◇◇◇◆◇◇◇◇◇

7

하나	♠♤♤♤♤♤♤♤♤♤
첫째	♠♤♤♤♤♤♤♤♤♤

8 27, 28 **9** 39, 41
10 52, 53, 54 **11** 19, 20
12 68, 69, 70 **13** 92, 93, 94
14 51 **15** 74
16 47 **17** 99
18 50 **19** 84
20 59

2 가르기

핵심 1-1 17 ~ 18쪽

1 1 **2** 2
3 1 **4** 2
5 2 **6** 3
7 3 **8** 4
9 1 **10** 1
11 2 **12** 2
13 2 **14** 1
15 3 **16** 3

핵심 1-2 19 ~ 20쪽

1 2 **2** 5
3 5 **4** 7
5 3 **6** 3
7 3 **8** 7
9 2 **10** 2
11 5 **12** 4
13 4 **14** 5
15 6 **16** 8

핵심 2 21 ~ 22쪽

1 3 **2** 2
3 1 **4** 4
5 9 **6** 5
7 7 **8** 0
9 8 **10** 6
11 10 **12** 1
13 7 **14** 5
15 9 **16** 8

단원 마무리 평가

23~24쪽

1	1	2	1
3	2	4	2
5	1	6	2
7	5	8	2
9	3	10	5
11	1	12	4
13	3	14	4
15	3	16	2
17	3	18	5
19	2	20	6

3 모으기

핵심 1-1

27~28쪽

1	2	2	4
3	3	4	5
5	3	6	4
7	5	8	5
9	3	10	2
11	4	12	5
13	3	14	5
15	5	16	4

핵심 1-2

29~30쪽

1	6	2	8
3	7	4	9
5	6	6	7
7	8	8	9
9	6	10	7
11	9	12	8
13	7	14	6
15	8	16	9

핵심 2

31~32쪽

1	10	2	10
3	10	4	10
5	10	6	10
7	10	8	10
9	10	10	10
11	10	12	10
13	10	14	10
15	10	16	10

단원 마무리 평가 (33 ~ 34쪽)

1	2	2	5
3	3	4	4
5	5	6	4
7	6	8	8
9	7	10	8
11	9	12	7
13	6	14	7
15	9	16	8
17	10	18	10
19	10	20	10

4 더하기

핵심 1 (37 ~ 38쪽)

1	5	2	8
3	8	4	9
5	5	6	8
7	4	8	7
9	8	10	4
11	5	12	9
13	7	14	9
15	6	16	7
17	8	18	9
19	8	20	9

핵심 2-1 (39쪽)

1	10	2	10
3	10	4	10
5	10	6	10
7	10	8	10
9	10	10	10

핵심 2-2 (40쪽)

1	1	2	2
3	3	4	4
5	5	6	7
7	6	8	0
9	8	10	9

핵심 3-1 (41 ~ 42쪽)

1	4, 3, 4	2	7, 4, 7
3	2, 5	4	4, 4
5	5, 3	6	7, 5
7	23	8	32
9	54	10	61
11	75	12	88
13	12	14	24
15	35	16	56
17	77	18	89

핵심 3-2

43쪽

1	26, 26	2	35, 35
3	33	4	42
5	56	6	97
7	42	8	54
9	67	10	89

핵심 3-3

44 ~ 46쪽

1	7, 2, 7	2	6, 3, 6
3	4, 9	4	5, 8
5	6, 8	6	8, 9
7	15	8	24
9	29	10	34
11	43	12	49
13	55	14	59
15	68	16	78
17	87	18	96
19	25	20	39
21	38	22	42
23	49	24	59
25	58	26	66
27	68	28	79
29	88	30	99

핵심 3-4

47쪽

1	24, 24	2	27, 27
3	19	4	37
5	49	6	75
7	24	8	37
9	59	10	87

핵심 3-5

48 ~ 49쪽

1	0, 6, 0	2	4, 0
3	6, 0	4	9, 0
5	9, 0	6	30
7	30	8	40
9	90	10	80
11	50	12	70
13	80	14	70
15	90	16	90
17	80		

핵심 3-6

50쪽

1	50, 50	2	70, 70
3	50	4	70
5	60	6	60
7	80	8	80
9	90	10	90

핵심 3-7
51 ~ 52쪽

1	5, 5, 5	2	8, 6, 8
3	5, 2	4	7, 1
5	7, 6	6	8, 4
7	39	8	57
9	46	10	54
11	78	12	72
13	85	14	98
15	76	16	83
17	91	18	99

핵심 3-8
53쪽

1	46, 46	2	55, 55
3	64	4	87
5	95	6	96
7	36	8	59
9	73	10	98

핵심 3-9
54 ~ 56쪽

1	4, 2, 4	2	9, 5, 9
3	3, 6	4	5, 9
5	5, 8	6	7, 5
7	26	8	28
9	39	10	43
11	35	12	46
13	54	14	57
15	79	16	89
17	69	18	77
19	89	20	66
21	79	22	88
23	73	24	85
25	97	26	85
27	89	28	98
29	96	30	99

핵심 3-10
57 ~ 58쪽

1	35, 35	2	37, 37
3	58	4	67
5	59	6	76
7	87	8	88
9	94	10	96
11	36	12	49
13	37	14	58
15	58	16	68
17	67	18	79
19	89	20	78
21	88	22	77
23	89	24	83

핵심 4-1
59 ~ 60쪽

1 10, 11
2 10, 12
3 4, 10, 11
4 3, 10, 12
5 11
6 12
7 11
8 13
9 14
10 13
11 13
12 12
13 15
14 14
15 14
16 15
17 16
18 18
19 16
20 17

핵심 4-2
61 ~ 62쪽

1 10, 11
2 10, 12
3 4, 10, 12
4 2, 10, 15
5 12
6 11
7 13
8 12
9 11
10 11
11 13
12 14
13 13
14 14
15 15
16 14
17 16
18 16
19 17
20 18

핵심 4-3
63 ~ 64쪽

1 1, 1
2 1, 1
3 1, 2
4 1, 2
5 1, 4
6 1, 6
7 11
8 13
9 11
10 13
11 12
12 15
13 16
14 13
15 15
16 12
17 14
18 18

단원 마무리 평가
65 ~ 66쪽

1 7
2 10
3 2
4 7
5 27
6 39
7 39, 39
8 48
9 68
10 80
11 48
12 67
13 68, 68
14 57
15 69
16 1, 10, 14
17 1, 10, 16
18 12
19 12
20 15

5 빼기

핵심 1 69~70쪽

1 3
2 2
3 4
4 4
5 2
6 2
7 1
8 2
9 1
10 3
11 1
12 6
13 3
14 2
15 6
16 5
17 2
18 8
19 5
20 3

핵심 2-1 71~72쪽

1 8
2 6
3 5
4 3
5 9
6 7
7 6
8 5
9 3
10 8
11 2
12 6
13 7
14 1
15 9
16 4
17 8
18 6
19 5
20 0

핵심 2-2 73~74쪽

1 3
2 5
3 7
4 8
5 1
6 3
7 2
8 5
9 4
10 6
11 8
12 0
13 3
14 9
15 5
16 2
17 7
18 10

핵심 3-1 75~77쪽

1 2, 1, 2
2 2, 3, 2
3 2, 5
4 4, 2
5 12
6 11
7 14
8 12
9 23
10 24
11 32
12 34
13 33
14 40
15 42
16 41

17 41　18 52
19 51　20 52
21 61　22 61
23 63　24 73
25 71　26 82
27 84　28 92

핵심 3-2 78~79쪽

1 11, 11　2 13, 13
3 21, 21　4 33, 33
5 42, 42　6 72, 72
7 11　8 14
9 21　10 23
11 33　12 41
13 43　14 52
15 52　16 64
17 71　18 81
19 85　20 90

핵심 3-3 80~81쪽

1 0, 1, 0　2 2, 0
3 3, 0　4 3, 0
5 3, 0　6 10
7 10　8 20
9 20　10 40
11 20　12 40
13 20　14 50
15 40　16 50
17 20

핵심 3-4 82~83쪽

1 10, 10　2 20, 20
3 10, 10　4 30, 30
5 30, 30　6 40, 40
7 10　8 30
9 10　10 30
11 20　12 50
13 40　14 10
15 60　16 40
17 10　18 60
19 30　20 20
21 70　22 30

핵심 3-5 84~86쪽

1 4, 1, 4　2 9, 1, 9
3 1, 4　4 2, 2
5 1, 9　6 1, 1
7 12　8 12

9	13	**10**	22
11	16	**12**	15
13	11	**14**	21
15	22	**16**	11
17	21	**18**	17
19	33	**20**	51
21	42	**22**	34
23	26	**24**	61
25	61	**26**	57
27	41	**28**	52
29	41	**30**	33

핵심 3-6

87 ~ 88쪽

1	12, 12	**2**	13, 13
3	14, 14	**4**	22, 22
5	21, 21	**6**	27, 27
7	13	**8**	21
9	17	**10**	31
11	21	**12**	22
13	11	**14**	32
15	21	**16**	43
17	33	**18**	19
19	41	**20**	43

핵심 4-1

89 ~ 90쪽

1	10, 8	**2**	10, 8
3	3, 10, 7	**4**	4, 10, 4, 6
5	9	**6**	9
7	9	**8**	6
9	7	**10**	9
11	5	**12**	8
13	9	**14**	4
15	8	**16**	9
17	7	**18**	9
19	7	**20**	9

핵심 4-2

91 ~ 92쪽

1	4, 6	**2**	5, 8
3	5, 3, 8	**4**	7, 1, 7, 8
5	8	**6**	3
7	8	**8**	7
9	5	**10**	6
11	5	**12**	9
13	7	**14**	5
15	9	**16**	7
17	9	**18**	8
19	7	**20**	9

핵심 4-3

93 ~ 94쪽

1 7	2 8
3 8	4 6
5 9	6 8
7 8	8 4
9 8	10 6
11 8	12 6
13 5	14 6
15 9	16 6
17 7	18 9

단원 마무리 평가

95 ~ 96쪽

1 4	2 3
3 6	4 2
5 7	6 15
7 41	8 33, 33
9 13	10 53
11 18	12 23
13 15, 15	14 23
15 32	16 2, 10, 4
17 4, 1, 4, 5	18 7
19 6	20 7

6 세 수의 계산

핵심 1-1

99 ~ 101쪽

1 6	2 7
3 9	4 8
5 3, 4, 4	6 6, 9, 9
7 5, 8, 8	8 5, 7, 7
9 7, 8, 8	10 6, 9, 9
11 8, 9, 9	12 8, 9, 9
13 5	14 5
15 9	16 8
17 8	18 8
19 9	20 7
21 8	22 9
23 7	24 8
25 9	26 9

핵심 1-2

102 ~ 104쪽

1 4	2 3
3 8	4 8
5 1, 2, 2	6 3, 5, 5
7 4, 7, 7	8 1, 5, 5
9 5, 3, 3	10 9, 5, 5
11 9, 6, 6	12 9, 4, 4
13 4	14 6

15 8　　**16** 5
17 4　　**18** 4
19 5　　**20** 7
21 2　　**22** 3
23 6　　**24** 7
25 4　　**26** 1

핵심 1-3

105~107쪽

1 1　　**2** 1
3 3　　**4** 3
5 3, 2, 2　　**6** 3, 2, 2
7 5, 2, 2　　**8** 4, 2, 2
9 5, 1, 1　　**10** 5, 4, 4
11 4, 2, 2　　**12** 7, 4, 4
13 1　　**14** 1
15 2　　**16** 1
17 3　　**18** 1
19 1　　**20** 4
21 1　　**22** 2
23 5　　**24** 1
25 4　　**26** 3

핵심 2

108~109쪽

1 10, 13　　**2** 10, 16
3 10, 19　　**4** 10, 11
5 10, 18　　**6** 10, 14
7 11　　**8** 12
9 13　　**10** 15
11 18　　**12** 17
13 14　　**14** 12
15 13　　**16** 15
17 14　　**18** 17
19 16　　**20** 19

핵심 3-1

110~112쪽

1 12　　**2** 13
3 16　　**4** 13
5 11, 12, 12　　**6** 8, 11, 11
7 11, 17, 17　　**8** 9, 13, 13
9 11, 18, 18　　**10** 12, 16, 16

11	11, 15, 15	12	15, 17, 17
13	11	14	14
15	12	16	11
17	14	18	16
19	17	20	15
21	14	22	14
23	15	24	17
25	18	26	18

핵심 3-2

113~115쪽

1	8	2	5
3	4	4	4
5	5, 4, 4	6	8, 6, 6
7	8, 5, 5	8	11, 6, 6
9	8, 5, 5	10	6, 2, 2
11	12, 6, 6	12	9, 2, 2
13	7	14	5
15	4	16	3
17	1	18	5
19	1	20	2
21	8	22	3
23	4	24	7
25	2	26	5

핵심 3-3

116~118쪽

1	11	2	11
3	9	4	8
5	13, 11, 11	6	14, 12, 12
7	15, 11, 11	8	17, 12, 12
9	5, 9, 9	10	7, 8, 8
11	7, 8, 8	12	8, 9, 9
13	10	14	11
15	10	16	11
17	11	18	12
19	5	20	8
21	7	22	9
23	9	24	9
25	9	26	9

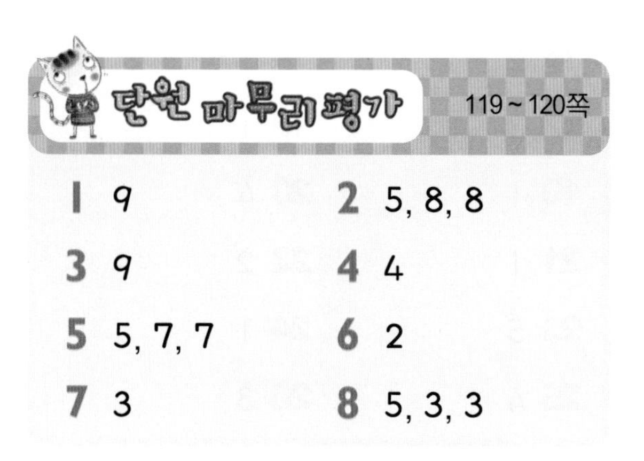

단원 마무리 평가

119~120쪽

1	9	2	5, 8, 8
3	9	4	4
5	5, 7, 7	6	2
7	3	8	5, 3, 3

9 1

10 10, 14

11 17

12 16

13 13, 17

14 19

15 4

16 5, 2

17 5

18 11

19 15, 12

20 8

Memo

1 학년이
꼭 알아야 할
수와 연산
밑줄쫙!
정답과 풀이